Beginner's Chinese
汉语初阶

张亚军 编著

华语教学出版社
SINOLINGUA

First Edition 2010

ISBN 978-7-80200-737-6

Copyright 2010 by Sinolingua

Published by Sinolingua

24 Baiwanzhuang Road, Beijing 100037, China

Tel: (86)10-68320585

Fax: (86)10-68326333

http://www.sinolingua.com.cn

E-mail: hyjx@sinolingua.com.cn

Printed by Beijing Foreign Languages Printing House

Printed in the People's Republic of China

About the Author

Mr. Yajun Zhang graduated from Chinese Language and Literature Department, Beijing Normal University. He has been a professor and taught Chinese for many years at a wide number of institutions, including: Beijing Language University, Rome University, Vienna University and Osaka University of Foreign Language Studies. In addition, he served as the Secretary-General of the International Society for Chinese Language Teaching from 1987-1990 and All China Association for Teaching Chinese as a Foreign Language from 1986-1990.

Mr. Yajun Zhang is also a prolific author of books and articles on Chinese language and culture. He authored and co-authored over 60 publications on learning Chinese language and culture, including: *The Approach of Teaching Chinese as a Foreign Language*, *A kaleidoscope of Chinese Culture*, *Chinese 300*, *New Chinese 300*, *Spoken Chinese 900*, *Contemporary Practical Chinese Writing*, *Chinese Business Writings and Letters*, *Chinese for Children*, *A history of Teaching Chinese to Non-Chinese Speakers*, etc.

作者简介

张亚军先生，毕业于北京师范大学中国语言文学系。多年来一直从事对外汉语教学工作，曾任：北京语言大学副教授；意大利罗马大学客座教授；奥地利维也纳大学客座教授；日本大阪外国语大学客员教授。1987-1990 任世界汉语教学学会秘书长；1986-1990 任中国对外汉语教学学会秘书长。

张亚军曾在中国、美国、日本、中国香港等地出版各种学术专著、合著、教材及学术论文有：《对外汉语教法学》、《中华文化趣谈》、《汉语300句》、《新汉语300句》、《汉语口语900句》、《中国现代应用文》、《汉语商贸文函课本》、《儿童汉语》、《历史上的对外汉语教学》等60余篇部。

Preface

In recent years, more and more people have taken an interest in the Chinese language, and the number of Chinese learners is on the rise. This book aims to teach a basic knowledge of Chinese pronunciation, grammar and vocabulary to beginners of the language. It uses highly practical, day-to-day sentences, to speedily and efficiently integrate students into the world of learning Chinese.

This textbook has the following objectives and uses:

1. To act as an effective guide to learn Chinese pronunciation and pinyin.

2. To enhance students' abilities of reading, writing and recognition of simplified Chinese characters.

3. To introduce over 260 commonly used, basic Chinese vocabulary words, plus nearly 80 grammatical structures to lay a solid foundation for further learning.

4. Interesting texts accompanied by lively illustrations, ensure that students find learning Chinese fun.

5. For the convenience of both teachers and students, the explanations and notes about pronunciation and grammar are provided in English.

6. Accompanied by listening materials in MP3 format to help teachers guide their students through the various exercises.

As a person who has been engaged in teaching Chinese as a foreign language for several decades, I hereby dedicate this book, a culmination of my years of teaching experience, to the readers.

Zhang Yajun

Oklahoma City

January, 2010

编者的话

近年来，越来越多的人对汉语产生了浓厚的兴趣，学习汉语的人也逐渐增多。本书的编写初衷便是把汉语最基本的语音、语法和词汇，通过在生活交际中非常实用的句子，轻松愉快地教授给汉语初学者，带领他们迅速地进入汉语语言世界。此书具有以下几个特点：

1. 作为汉语普通话教材，教授汉语标准语音及汉语拼音方案。
2. 教授简体汉字，使学生具备认、读、写的能力。
3. 教授基本词汇 260 余个，基本语法 70 多条，为学生进一步学习汉语打好基础。
4. 突出趣味性，附有大量插图，使学生轻松快乐地学习汉语。
5. 汉语语音讲解和语法注释均为英文，以方便学生学习和教师教学。
6. 附有听力材料，便于教师带领学生做各种练习。

本人从事对外汉语教学事业已几十个春秋，在此愿以一瓣心香，把多年的教学经验融入此书之中，以飨读者。

张亚军

2010 年 1 月于美国奥城

目 录
Contents

你好！ Hello!
Nǐ hǎo

会话 Conversation

| A : 你好！ | Hello! |
| Nǐ hǎo! | |

| B : 你好！ | Hello! |
| Nǐ hǎo! | |

| A : 你好吗？ | How are you? |
| Nǐ hǎo ma? | |

| B : 我很好。 | I am very well. |
| Wǒ hěn hǎo. | |

| B : 再见！ | Goodbye. |
| Zàijiàn. | |

| A : 再见！ | Goodbye. |
| Zàijiàn. | |

生词　**Vocabulary**

1. 你 nǐ	you (singular)	
2. 好 hǎo	good, well	
3. 吗 ma	(an interrogative particle)	
4. 我 wǒ	I, me	
5. 很 hěn	very	
6. 再见 zàijiàn	goodbye	

课堂活动　**Activity**

Write the number of the correct answer in the balloon.

Nǐ hǎo ma?

(1) Zàijiàn.   (2) Nǐ hǎo ma?   (3) Nǐ hǎo!   (4) Wǒ hěn hǎo.

语音 Chinese Phonetics

Vowels

a   o   e   i   u   ū

Consonants

b   p   m   f   d   t   n   l

Combinations of Consonants and Vowels

bo	po	mo	fo	de	te	ne	le
ba	pa	ma	fa	da	ta	na	la
bu	pu	mu	fu	du	tu	nu	lu

Tones

bā	bá	bǎ	bà
mā	má	mǎ	mà
nī	ní	nǐ	nì
wō	wó	wǒ	wò

Chinese Pronunciation

● Chinese is a language with different tones. There are four basic tones in *Putonghua* (Mandarin Chinese), which are indicated respectively by the following tone marks: " ˉ "(the first tone), "ˊ "(the second tone), " ˇ "(the third tone)," ˋ " (the fourth tone). A syllable, when pronounced in a different tone, has a different meaning.

●● The Unaspirated and Aspirated

The unaspirated " b" and aspirated " p" are pronounced in exactly the same manner as regards tongue positions. So are " d " and " t ". The only difference is that, in pronouncing the aspirated " p ", and " t ", the air is puffed out strongly, whereas with the unaspirated " b " and "d " the air is let out with a pop through the lips.

●●● The Changes of Tones

When two third tone syllables are adjacent, the first one is pronounced in the second tone, e.g., "nǐ hǎo → ní hǎo", " hěn hǎo → hén hǎo".

●●●● The Neutral Tone

Some syllables can lose their original tones when they are unstressed and take on a feeble tone. This is known as the neutral tone, which is shown without any tone marks, e.g., " Nǐ hǎo ma?"

语法　Grammar

● Nǐ hǎo.

"Nǐ hǎo." is a common greeting in Chinese people's daily life. It can be used in the morning, afternoon, and evening. It also can be used when you meet somebody for the first time. The answer to it is also "Nǐ hǎo."

●● Nǐ hǎo ma? The Interrogative Sentences (1)

"Ma" is put at the end of an affirmative sentence, it is used interrogatively and forms a question, e.g., "Nǐ hǎo. → Nǐ hǎo ma? (Hello → How are you?)", "Tā shì xuésheng. → Tā shì xuésheng ma? (He is a student → Is he a student?)".

●●● Wǒ hěn hǎo.

The structure [hěn + *adj.*] can be used to indicate a high degree. However, in a sentence like "Wǒ hěn hǎo", the word "hěn" does not explicitly convey the idea of degree. It merely verifies the idea of "Wǒ hǎo". It serves to adjust the number of syllables in the sentence, as "hǎo" is monosyllabic.

●●●● Sentence with an Adjective Predicate

Unlike English adjectives, the Chinese equivalents can be directly used as a predicate in a sentence without a linking verb, e.g., "Wǒ hěn hǎo. (I'm fine.)", "Zhè běn shū hěn xīn. (This book is very new.)"

汉字小知识　Chinese Characters

Chinese characters are written separately in squares with each one representing one sound. All the Chinese characters are made of at least one of the eight basic strokes. The eight basic strokes and the ways to write them are:

(1) horizontal	一	(héng)	a line written from left to right
(2) vertical	丨	(shù)	a line written from top to bottom
(3) dot	丶	(diǎn)	written diagonally from the left top to the right bottom
(4) left falling stroke	丿	(piě)	a diagonal line written from right to left with a small curve
(5) right falling stroke	㇏	(nà)	a diagonal slant from left top to right bottom
(6) rising stroke	㇀	(tí)	a line with a small slant from left bottom to

			right top
(7) hook	亅	(gōu)	a vertical stroke with a small hook at the end
(8) turning stroke	⌐	(zhé)	a horizontal stroke and a small vertical one together without the pencil leaving the paper

The rules for the order of strokes when writing characters are generally as follows:

(1) First top then bottom.

(2) First left then right.

(3) First horizontal then vertical.

(4) First left stroke then right stroke.

(5) First outside then inside.

(6) First middle then the two sides.

(7) Finish the inside then enclose.

扩展   **Extension**

Word Bank 🎧

1. 挺好 　　tǐng hǎo	all right
2. 不错 　　bú cuò	not bad
3. 还可以 　　hái kěyǐ	That's all right.
4. 马马虎虎 　　mǎmahūhū	just so-so, neither good nor bad
5. 不好 　　bù hǎo	not good

6. 糟糕透了   bad, terrible
   zāogāo tòu le

练习   Exercises

1. Role-play (using the expressions you learn from the lesson).

2. Trace over the red characters with black using the correct stroke order.

你	ノ	イ	イ	们	伫	你	你							
	你	你	你	你	你	你	你	你	你	你	你	你	你	你
好	く	し	女	好	好									
	好	好	好	好	好	好	好	好	好	好	好	好	好	好
吗	l	口	口	叮	吗	吗								
	吗	吗	吗	吗	吗	吗	吗	吗	吗	吗	吗	吗	吗	吗
我	ノ	二	于	手	我	我	我							
	我	我	我	我	我	我	我	我	我	我	我	我	我	我
很	ノ	ク	彳	彳	彳	很	很	很						
	很	很	很	很	很	很	很	很	很	很	很	很	很	很

再	一	厂	冂	再	再	再												
	再	再	再	再	再	再	再	再	再	再	再	再	再	再				
见	丨	冂	贝	见														
	见	见	见	见	见	见	见	见	见	见	见	见	见	见				

3. Listen and add the tone marks. 🎧

(1) na

(2) te

(3) du du

(4) lu lu

(5) mi mi

(6) po po

4. Listen to the Conversation. 🎧

5. Listen to the Vocabulary. 🎧

6. Listen to the vocabulary in Word Bank. 🎧

7. Write the Chinese characters.

(1) hǎo _____

(2) zài _____

(3) nǐ _____

(4) ma _____

(5) hěn _____

(6) wǒ _____

(7) jiàn _____

你是老师吗？　Are you a teacher?
Nǐ shì lǎoshī ma?

会话　Conversation

A：你是老师吗？

Nǐ shì lǎoshī ma?

Are you a teacher?

B：我不是老师，我是学生。

Wǒ bú shì lǎoshī, wǒ shì xuésheng.

I'm not a teacher, I'm a student.

A：他是谁？

Tā shì shéi?

Who is he?

B：他是我朋友吉米。

Tā shì wǒ péngyou Jímǐ.

He is my friend Jimmy.

A：谢谢。

Xièxie.

Thank you.

B：不客气。

Bú kèqi.

You are welcome.

生词 Vocabulary

1. 是 shì	be	
2. 老师 lǎoshī	teacher	
3. 不 bù	not, no	
4. 学生 xuésheng	student	
5. 他 tā	he, him	
6. 谁 shuí	who	
7. 朋友 péngyou	friend	
8. 谢谢 xièxie	thank you	
9. 不客气 bú kèqi	you are welcome	

Proper Name

吉米 Jímǐ	Jimmy

课堂活动　Activity

Complete the dialogues.

语音　Chinese Phonetics

Compound Vowels

ai	ei	ao	ou
ia	ie	iao	iu
ua	uo	uai	ui
üe			

Consonants

g　k　h　j　q　x　z　c　s

Combinations of Consonants and Vowels

ge	ke	he	ji	qi	xi	zi	ci	si
ga	ka	ha	jia	qia	xia	za	ca	sa

Chinese Pronunciation

● The Compound Vowels

A compound vowel is composed of two or three vowels. There are thirteen compound vowels in Chinese.

●● Rules of Phonetic Spelling

(1) Vowels begin with "i" or "u", and when not preceded by any consonants, should be changed respectively into "y" and "w", e.g., "ie → ye", "uo → wo". And " i "and "u" are written as "yi" and "wu"; when they form syllables by themselves, they are preceded respectively by "y" and "w", e.g., "i → yi", "u → wu".

(2) Vowel "ü" will be written as "yu" when it forms a syllable by itself or appears at the beginning of syllable, e.g., "yǔfǎ", "xuéyuàn".

语法　Grammar

● Sentences with "shì"

Like the English linking verb "be", "shì" is followed by either a noun or a pronoun, and its negative form is "bú shì", e.g., "Wǒ shì xuésheng, wǒ bú shì lǎoshī.(I am a student, I am not a teacher)", "Zhè shì shū, zhè bú shì zázhì. (This is a book, this is not a magazine)".

●● Tā shì shuí?　The Interrogative Sentences (2)

The interrogative sentences are made up of interrogative pronouns such as "who", "what", "which", "how many", "whose", etc. To change a declarative sentence into an interrogative one, all one should do is to replace the part in question with an interrogative pronoun. The alteration of the word order is not necessary, e.g., "Tā shì shuí? (Who is he?)", "Nǐ jiào shénme míngzi? (What's your name?)", "Zhè shì jǐ? (What is the number?)" .

扩展 Extension

Word Bank 🎧

1. 大夫 dàifu	doctor	yī shēng 医生
2. 经理 jīnglǐ	manager	
3. 护士 hùshi	nurse	
4. 工程师 gōngchéngshī	engineer	
5. 同学 tóngxué	classmate	

练习 Exercises

1. Write the number of the correct answer in the balloon.

(1) Tā shì shuí?

(2) Tā bú shì jīnglǐ.

(3) Tā shì lǎoshī.

(4) Wǒ bú shì dàifu.

(5) Tā shì hùshi ma?

(6) Nǐ shì gōngchéngshī ma?

2. Trace over the red characters with black using the correct stroke order.

是	丶 丨 冂 日 日 旦 早 昗 昰 是
	是 是 是 是 是 是 是 是 是 是 是 是 是 是
老	一 十 土 耂 耂 老
	老 老 老 老 老 老 老 老 老 老 老 老 老 老
师	丨 刂 丷 忄 师 师
	师 师 师 师 师 师 师 师 师 师 师 师 师 师
不	一 丆 不 不
	不 不 不 不 不 不 不 不 不 不 不 不 不 不

学	丶	⺍	⺍	⺍	兴	学	学	学					
	学	学	学	学	学	学	学	学	学	学	学	学	学
生	丿	⺊	仁	牛	生								
	生	生	生	生	生	生	生	生	生	生	生	生	生
他	丿	亻	仦	仲	他								
	他	他	他	他	他	他	他	他	他	他	他	他	他
朋	丿	刀	月	月	刖	朋	朋	朋					
	朋	朋	朋	朋	朋	朋	朋	朋	朋	朋	朋	朋	朋
友	一	ナ	方	友									
	友	友	友	友	友	友	友	友	友	友	友	友	友
客	丶	八	宀	宀	灾	宆	宆	客	客				
	客	客	客	客	客	客	客	客	客	客	客	客	客
气	丿	⺃	乞	气									
	气	气	气	气	气	气	气	气	气	气	气	气	气

3. Listen and fill in the missing letters. 🎧

(1) _m_āi　_t_āi　　　　(2) ___āo　　___āo

(3) _j_iā　_q_iā　　　　(4) ___iē　　___iē

(5) _l_iū　___iū　　　　(6) ___ī　　___ī

(7) ___ēi　___ēi　　　　(8) ___iāo　___iāo

(9) ___uī　___uī　　　　(10) ___uō　___uō

4. Listen and add the tone marks. 🎧

(1) zi　　zi　　　　(2) xi　　xi

(3) ge　　ge　　　　(4) ci　　ci

(5) hui   hui   (6) sao   sao

(7) qiao   qiao   (8) wai   wai

(9) kua   kua   (10) yue   yue

5. Listen to the Conversation.

6. Listen to the Vocabulary.

7. Listen to the vocabulary in the Word Bank.

您贵姓?　What's your last name?

Nín guìxìng?

会话　Conversation 🎧

A :	您贵姓? Nín guìxìng?	What's your last name?
B :	我姓克林顿。 Wǒ xìng Kèlíndùn.	My last name is Clinton.
A :	你叫什么名字? Nǐ jiào shénme míngzi?	What's your name?
B :	我叫汤姆。 Wǒ jiào Tāngmǔ.	My name is Tom.
A :	他姓什么? Tā xìng shénme?	What is his last name?
B :	他姓王。 Tā xìng Wáng.	His last name is Wang.
A :	他叫什么名字? Tā jiào shénme míngzi?	What is his name?

B：他叫 王大明。 His name is Wang Daming.

Tā jiào Wáng Dàmíng.

生词 Vocabulary

1. 您 nín	(polite form of "nǐ")
2. 贵姓 guìxìng	(your) last name
3. 姓 xìng	last name
4. 叫 jiào	to be called, to call
5. 什么 shénme	what
6. 名字 míngzi	name

Proper Names

1. 汤姆·克林顿 Tāngmǔ Kèlíndùn	Tom Clinton
2. 王大明 Wáng Dàmíng	Wang Daming

课堂活动　Activity

Complete the dialogues.

语音　Chinese Phonetics

Nasal Vowels

an	en	ang	eng	ong
ian	in	iang	ing	iong
uan	un	uang		

Consonants

zh   ch   sh   r

Combinations of Consonants and Vowels

zhi	chi	shi	ri
zhe	che	she	re
zhan	chan	shan	ran
zhang	chang	shang	rang

Chinese Pronunciation

● There are fifteen nasal vowels in Chinese. A nasal is made up of a vowel, simple or compound, and a nasal consonant (-n or –ng).

●● Change of Tones of "bù" and "yī"

"Bù" is pronounced in the 2nd tone (bú) before a syllable in the 4th tone, e.g., "bù shì → bú shì". However, "bù" is still pronounced in the 4th tone "bù" when it precedes a syllable in the 1st, 2nd, or 3rd tone, e.g., "bù hǎo", "bù xué".

"Yī" is pronounced in the 2nd tone (yí) before a syllable in the 4th tone, e.g., "yī biàn → yí biàn", "yī gè → yí gè". But "yī" is pronounced as "yì" when it precedes a syllable in the 1st, 2nd, or 3rd tone, e.g., "yī jīn → yì jīn", "yī nián → yì nián".

●●● The Dividing Mark " ' "

When a syllable beginning with "a", "o", "e" is attached to another syllable, it is desirable to use the dividing mark " ' " to clarify the boundary between the two syllables, e.g., "shí'èr", "nǚ'ér".

语法 Grammar

● Nín

"Nín" is the polite form of singular "nǐ". It is normally used to address one's elders and betters. It is also used to address someone of one's own age, when meeting him or her for the first time.

●● Nín guìxìng?

"Nín guìxìng?" is a polite way of asking someone's last name. The common expression is "nǐ xìng shénme?". The answer to it should be just the last name, mentioning the first name is unnecessary.

●●● Chinese name

A Chinese name is different from an English one in that the last name is said before the first name. One-character last names are very common and two-character last names are rather rare. The first name usually has one or two characters.

扩展 Extension

Word Bank

1. 李小梅 Lǐ Xiǎoméi	Li Xiaomei
2. 罗伯特·布朗 Luóbótè Bùlǎng	Robert Brown
3. 约翰·史密斯 Yuēhàn Shǐmìsī	John Smith
4. 露西·卡特 Lùxī Kǎtè	Lucy Carter

5. 南希·布鲁克   Nancy Brook
  Nánxī Bùlǔkè

练习 Exercises

1. Complete the dialogues.

2. Trace over the red characters with black using the correct stroke order.

您	你 您 您 您												
	您	您	您	您	您	您	您	您	您	您	您	您	您
贵	丶 ⼂ ⼝ 中 虫 串 弗 贵 贵												
	贵	贵	贵	贵	贵	贵	贵	贵	贵	贵	贵	贵	贵
姓	乚 ⼥ ⼥ ⼥ 如 如 姓 姓												
	姓	姓	姓	姓	姓	姓	姓	姓	姓	姓	姓	姓	姓
叫	丶 ⼝ ⼝ 叫 叫												
	叫	叫	叫	叫	叫	叫	叫	叫	叫	叫	叫	叫	叫
什	丿 亻 仁 什												
	什	什	什	什	什	什	什	什	什	什	什	什	什
么	丿 ⼂ 么												
	么	么	么	么	么	么	么	么	么	么	么	么	么
名	丿 ⼑ ⼣ ⼣ 名 名												
	名	名	名	名	名	名	名	名	名	名	名	名	名
字	丶 ⼋ 宀 宀 宁 字												
	字	字	字	字	字	字	字	字	字	字	字	字	字

3. Listen and add the tone marks. 🎧

(1) zhi   zhi   (2) ri   ri

(3) chi   chi   (4) shi   shi

(5) che   che   (6) shan   shan

4. Listen to the Conversation.

5. Listen to the Vocabulary.

6. Listen to the vocabulary in Word Bank.

7. Read the following tongue-twister.

shísì shì shísì	14 is 14
sìshí shì sìshí	40 is 40
shísì bú shì sìshí	14 is not 40
sìshí bú shì shísì	40 is not 14

8. Write the Chinese characters.

(1) nín _____   (2) míng _____

(3) zì _____   (4) guì _____

(5) xìng _____   (6) shén _____

(7) me _____   (8) jiào _____

你是哪国人?　**What country are you from?**
Nǐ shì nǎ guó rén?

会话　Conversation 🎧

[handwritten notes: 英国人 English. 巴西人]

[handwritten notes: China 中国 Chinese {中文 汉语 hàn yǔ shù zì 汉语数字 Chinese numbers]

A : 你是哪国人?　　What country are you from?

　　Nǐ shì nǎ guó rén?

[handwritten note: Měi = big sheep = beauty]

B : 我是美国人。　　I'm from the US.

[handwritten notes: sheep / big over 美]

　　Wǒ shì Měiguórén.

A : 他是中国人吗?　　Is he Chinese?

　　Tā shì Zhōngguórén ma?

B : 我不知道。　　I don't know.

　　Wǒ bù zhīdào.

[handwritten notes: qǐng wèn 请问 please ask May I ask]

B : 对不起。　　Sorry.

　　Duìbuqǐ.

A : 没关系。　　It doesn't matter.

　　Méi guānxi.

生词 **Vocabulary**

1. 哪 nǎ	which	/ where = nǎ li
2. 国 guó	country	
3. 人 rén	person	
4. 知道 zhīdào	know	
5. 对不起 duìbuqǐ	sorry	
6. 没关系 méi guānxi	it doesn't matter	

Proper Names

1. 美国 Měiguó	the United States of America
2. 中国 Zhōngguó	China

课堂活动　Activity

Complete the dialogues.

语法　Grammar

● Měiguórén

To indicate a person's nationality, simply add "rén" after the name of the country, e.g., "Měiguó → Měiguórén", "Zhōngguó → Zhōngguórén" , "Fǎguó → Fǎguórén".

●● Méi guānxi

When someone offers an apology, or expresses worry or regret over something, we say "Méi guānxi" to comfort him or her, implying "It doesn't matter", "Don't take the matter so seriously" or "Don't worry".

扩展 Extension

Word Bank 🎧

1. 英国
   Yīngguó

   Britain

2. 法国
   Fǎguó

   France

3. 加拿大
   Jiānádà

   Canada

4. 墨西哥
   Mòxīgē

   Mexico

5. 日本
   Rìběn

   Japan

6. 印度
   Yìndù

   India

7. 韩国
   Hánguó

   Republic of Korea

8. 意大利
   Yìdàlì

   Italy

练习　Exercises

1. Trace over the red characters with black using the correct stroke order.

哪	丶	口	口	叮	叼	吲	呀	哪	哪					
	哪	哪	哪	哪	哪	哪	哪	哪	哪	哪	哪	哪	哪	哪
国	丨	冂	冂	冃	冃	国	国	国						
	国	国	国	国	国	国	国	国	国	国	国	国	国	国
人	丿	人												
	人	人	人	人	人	人	人	人	人	人	人	人	人	人
知	丿	广	生	矢	矢	知	知	知						
	知	知	知	知	知	知	知	知	知	知	知	知	知	知
道	丶	丷	兰	产	产	首	肖	首	首	首	道	道		
	道	道	道	道	道	道	道	道	道	道	道	道	道	道
对	丆	又	又	对	对									
	对	对	对	对	对	对	对	对	对	对	对	对	对	对
起	一	十	土	丰	耂	走	走	起	起	起				
	起	起	起	起	起	起	起	起	起	起	起	起	起	起
没	丶	丶	氵	氵	沪	没	没							
	没	没	没	没	没	没	没	没	没	没	没	没	没	没

关	丶	゛	丷	丷	羊	关	关						
	关	关	关	关	关	关	关	关	关	关	关	关	关	关
系	一	工	乏	乡	亥	系	系						
	系	系	系	系	系	系	系	系	系	系	系	系	系	系
美	丶	丷	丷	丷	芊	羊	兰	美	美				
	美	美	美	美	美	美	美	美	美	美	美	美	美	美
国	丨	冂	冂	冃	冄	国	国	国					
	国	国	国	国	国	国	国	国	国	国	国	国	国	国
中	丶	冖	口	中									
	中	中	中	中	中	中	中	中	中	中	中	中	中	中

2. Listen and fill in the missing letters. 🎧

(1) M___ g___　　　(2) Zh___ g___ r___

(3) m___ z___　　　(4) l___ sh___

(5) p___ y___　　　(6) z___ j___

(7) ___ué ___eng　　(8) ___iě ___iě

(9) ___uì ___ù ___ǐ　　(10) ___én ___e

(11) ___uì ___ìng　　(12) ___ī ___ào

3. Listen and add the tone marks. 🎧

(1) ren　　　　(2) guo

(3) dui　　　　(4) qi

(5) mei　　　　(6) guan

(7) dao　　　　(8) na

(9) zhi　　　　(10) bu

4. Listen to the Conversation.

5. Listen to the Vocabulary.

6. Listen to the vocabulary in Word Bank.

请问，这是 什么？　Excuse me, what is this?
Qǐngwèn, zhè shì shénme?

会话　Conversation

A : 请问，这是什么？
    Qǐngwèn, zhè shì shénme?

Excuse me, what is this?

B : 这是书。
    Zhè shì shū.

This is a book.

A : 这是谁的书？
    Zhè shì shuí de shū?

Whose book is this?

B : 这是我的书。
    Zhè shì wǒ de shū.

This is my book.

A : 那是不是中国地图？
    Nà shì bu shì Zhōngguó dìtú?

Is that a map of China?

B : 那不是中国地图，
    Nà bú shì Zhōngguó dìtú,

    那是美国地图。
    nà shì Měiguó dìtú.

No, that is not a map of China,

that is a map of America.

生词　Vocabulary

1. 请问 qǐngwèn	may I ask...
2. 这 zhè	this
3. 书 shū	book
4. 的 de	(a structural particle)
5. 那 nà	that
6. 地图 dìtú	map

课堂活动　Activity

Complete the dialogues.

Nà shì shénme?

Zhè shì wǒ de shū.

语法 Grammar

● Qǐngwèn

"Qǐngwèn", a respectful expression, is often used to make a request to somebody for explanations, e.g., "Qǐngwèn, nín guìxìng?(Excuse me, what's your last name?)", "Qǐngwèn, nǐ shì nǎ guó rén?(Excuse me, where are you from?)"

●● Zhè shì shuí de shū? The Attributive Genitive

When a personal pronoun or a noun is used as the attributive genitive, it generally takes the structural particle "de". E.g., "wǒ de shū. (my book)", "tā de dìtú. (his map)", "lǎoshī de qìchē (the teacher's car)".

When a personal pronoun is used as an attributive, and the head noun is a term indicating kinship or an institution, "de" may be omitted in the attributive, e.g., "wǒ bàba (my father)", "wǒmen xuéxiào (our school)".

●●● Nà shì bú shì Zhōngguó dìtú?　The Interrogative Sentences (3)

An interrogative sentence may be constructed by using the negative form of the predicate (either the verbal or adjectival one) after its affirmative form, e.g., "Nǐ shì búshì xuésheng? (Are you a student or not?)". Such a question has the same function as a general question with the interrogative particle "ma": "Nǐ shì xuésheng ma? (Are you a student?)".

扩展 Extension

Word Bank 🎧

1. 桌子 zhuōzi	table
2. 椅子 yǐzi	chair
3. 本子 běnzi	notebook
4. 笔 bǐ	pen
5. 纸 zhǐ	paper
6. 杂志 zázhì	magazine
7. 词典 cídiǎn	dictionary
8. 书包 shūbāo	schoolbag
9. 电脑 diànnǎo	computer

练习　Exercises

1. Ask and answer.

2. Trace over the red characters with black using the correct stroke order.

请	丶	讠	讠	讠	讠	讠	请	请	请
	请	请	请	请	请	请	请	请	请	请	请	请	请
问	丶	冂	门	门	问	问
	问	问	问	问	问	问	问	问	问	问	问	问	问
这	丶	一	文	文	文	讠	这
	这	这	这	这	这	这	这	这	这	这	这	这	这
书	乛	马	书	书
	书	书	书	书	书	书	书	书	书	书	书	书	书
的	丿	亻	白	白	白	白	的	的
	的	的	的	的	的	的	的	的	的	的	的	的	的

那	丁	刁	彐	那	那	那						
	那	那	那	那	那	那	那	那	那	那	那	那
地	一	十	土	圠	坩	地						
	地	地	地	地	地	地	地	地	地	地	地	地
图	丨	冂	冂	冈	冈	冈	图	图				
	图	图	图	图	图	图	图	图	图	图	图	图

3. Listen and add the tone marks.

(1) ditu

(2) shu

(3) qingwen

(4) Zhongguo

(5) zhidao

(6) duibuqi

(7) guixing

(8) shenme

(9) mingzi

(10) laoshi

(11) Meiguo

(12) pengyou

4. Listen and fill in the missing letters.

(1) méi guān__i

(2) Měiguó __én

(3) bú kè__i

(4)__uí de shū

(5)__uìbuqǐ

(6) zài__iàn

5. Listen to the Conversation.

6. Listen to the Vocabulary.

7. Listen to the vocabulary in Word Bank.

这是几?　**What is the number?**
Zhè shì jǐ?

会话　**Conversation** 🎧

A：这是几？

Zhè shì jǐ?

What is the number?

B：这是一。

Zhè shì yī.

This is one.

A：你今年几岁？

Nǐ jīnnián jǐ suì?

How old are you?

B：我今年十岁。

Wǒ jīnnián shí suì.

I am ten years old.

A：你几年级？

Nǐ jǐ niánjí?

Which grade are you in?

A：我五年级。

Wǒ wǔ niánjí.

I am in the fifth grade.

生词 Vocabulary

1.	几 jǐ	how many, how much
2.	一 yī	one
3.	二 èr	two
4.	三 sān	three
5.	四 sì	four
6.	五 wǔ	five
7.	六 liù	six
8.	七 qī	seven
9.	八 bā	eight
10.	九 jiǔ	nine
11.	十 shí	ten
12.	零 líng	zero
13.	今年 jīnnián	this year

14. 岁 suì	years (of age)
15. 年级 nián jí	grade

课堂活动 Activity

Complete the dialogues.

语法 Grammar

● Numeration

In Chinese the decimal system is employed for counting numbers, e.g.,

0	1	2	3	4	5	6	7	8	9
líng	yī	èr	sān	sì	wǔ	liù	qī	bā	jiǔ

10	11	12	13	14	15	16	17	18	19
shí	shíyī	shí'èr	shísān	shísì	shíwǔ	shíliù	shíqī	shíbā	shíjiǔ

20	21	22	23	24 ⋯⋯⋯⋯⋯⋯⋯⋯⋯⋯⋯⋯⋯⋯⋯⋯ 29
èrshí	èrshíyī	èrshí'èr	èrshísān	èrshísì ⋯⋯⋯⋯⋯⋯⋯⋯⋯⋯⋯⋯ èrshíjiǔ

30	31	32	33	34 ⋯⋯⋯⋯⋯⋯⋯⋯⋯⋯⋯⋯⋯⋯⋯ 39
sānshí	sānshíyī	sānshí'èr	sānshísān	sānshísì ⋯⋯⋯⋯⋯⋯⋯⋯⋯⋯⋯⋯ sānshíjiǔ

40	41	42	43	44 ⋯⋯⋯⋯⋯⋯⋯⋯⋯⋯⋯⋯⋯⋯⋯ 49
sìshí	sìshíyī	sìshí'èr	sìshísān	sìshísì ⋯⋯⋯⋯⋯⋯⋯⋯⋯⋯⋯⋯ sìshíjiǔ

50	51	52	53	54 ⋯⋯⋯⋯⋯⋯⋯⋯⋯⋯⋯⋯⋯⋯⋯59
wǔshí	wǔshíyī	wǔshí'èr	wǔshísān	wǔshísì ⋯⋯⋯⋯⋯⋯⋯⋯⋯⋯⋯⋯ wǔshíjiǔ

60	61	62	63	64 ⋯⋯⋯⋯⋯⋯⋯⋯⋯⋯⋯⋯⋯⋯⋯69
liùshí	liùshíyī	liùshí'èr	liùshísān	liùshísì ⋯⋯⋯⋯⋯⋯⋯⋯⋯⋯⋯ liùshíjiǔ

70	71	72	73	74 ⋯⋯⋯⋯⋯⋯⋯⋯⋯⋯⋯⋯⋯⋯⋯79
qīshí	qīshíyī	qīshí'èr	qīshísān	qīshísì ⋯⋯⋯⋯⋯⋯⋯⋯⋯⋯⋯⋯ qīshíjiǔ

80	81	82	83	84 ⋯⋯⋯⋯⋯⋯⋯⋯⋯⋯⋯⋯⋯⋯ 89
bāshí	bāshíyī	bāshí'èr	bāshísān	bāshísì ⋯⋯⋯⋯⋯⋯⋯⋯⋯⋯⋯⋯ bāshíjiǔ

90	91	92	93	94 ⋯⋯⋯⋯⋯⋯⋯⋯⋯⋯⋯⋯⋯⋯⋯ 99
jiǔshí	jiǔshíyī	jiǔshí'èr	jiǔshísān	jiǔshísì ⋯⋯⋯⋯⋯⋯⋯⋯⋯⋯⋯ jiǔshíjiǔ

●● Wǒ jīnnián shí suì.   Sentence with a Nominal Predicate

A sentence with a noun, noun phrase or numeral as its predicate is known as a sentence with a nominal predicate. In the affirmative sentence, "shì" is not used ("shì" is used in the sentence with a verbal predicate). This type of sentence is mainly used to show time, age, birthplace and quantity, e.g., "Wǒ bā suì.(I am eight years old.)", "Tā qī niánjí. (He is in the seventh grade.)", "Wǒ péngyou Shànghǎirén. (My friend is from Shanghai.)".

The addition of "bú shì" before the nominal predicate makes it the negative counterpart of the sentence, resulting in a sentence with a verbal predicate at the same time, e.g., "Wǒ bú shì liù suì. (I am not six years old.)", "Tā bú shì Běijīngrén.(He is not from Beijing.)".

练习 Exercises

1. Trace over the red characters with black using the correct stroke order.

几	丿	几													
		几	几	几	几	几	几	几	几	几	几	几	几	几	几
一	一														
		一	一	一	一	一	一	一	一	一	一	一	一	一	一
二	一	二													
		二	二	二	二	二	二	二	二	二	二	二	二	二	二
三	一	二	三												
		三	三	三	三	三	三	三	三	三	三	三	三	三	三
四	丨	冂	灱	四	四										
		四	四	四	四	四	四	四	四	四	四	四	四	四	四
五	一	丅	五	五											
		五	五	五	五	五	五	五	五	五	五	五	五	五	五
六	丶	亠	宀	六											
		六	六	六	六	六	六	六	六	六	六	六	六	六	六
七	一	七													
		七	七	七	七	七	七	七	七	七	七	七	七	七	七
八	丿	八													
		八	八	八	八	八	八	八	八	八	八	八	八	八	八

九	丿	九												
	九	九	九	九	九	九	九	九	九	九	九	九	九	九
十	一	十												
	十	十	十	十	十	十	十	十	十	十	十	十	十	十
今	丿	人	仌	今										
	今	今	今	今	今	今	今	今	今	今	今	今	今	今
年	ノ	⸀	ヒ	乍	圧	年								
	年	年	年	年	年	年	年	年	年	年	年	年	年	年
岁	丶	山	山	少	岁	岁								
	岁	岁	岁	岁	岁	岁	岁	岁	岁	岁	岁	岁	岁	岁
级	⸌	⸜	⸜	纟	纩	级	级							
	级	级	级	级	级	级	级	级	级	级	级	级	级	级
零	一	厂	二	乖	乖	乖	乖	零	乘	乘	乘	零	零	
	零	零	零	零	零	零	零	零	零	零	零	零	零	零

2. Listen and fill in the missing letters. 🎧

(1) j___ n___   (2) n___ j___

(3) q___ w___   (4) zh___ d___

(5) d___ t___   (6) M___ g___

(7) g___ x___   (8) x___ sh___

(9) m___ z___   (10) Zh__ g___

3. Listen and add the tone marks. 🎧

(1) san   (2) ba

(3) jiu　　　　　　(4) yi

(5) liu　　　　　　(6) shi

(7) ling　　　　　(8) er

(9) si　　　　　　(10) wu

(11) qi　　　　　　(12) ji

4. Listen to the Conversation.

5. Listen to the Vocabulary.

6. Read the following years in Chinese.

(1) 2008

(2) 1774

(3) 1845

(4) 1657

(5) The year Columbus discovered America

(6) The year of your birth　　2009

你会 说 英语 吗？ Can you speak English?
Nǐ huì shuō Yīngyǔ ma?

会话 Conversation

A：你会 说 英语吗？

Nǐ huì shuō Yīngyǔ ma?

Can you speak English?

B：我 会 说 英语。

Wǒ huì shuō Yīngyǔ.

I can speak English.

A：你会 不会 说 汉语？

Nǐ huì bú huì shuō Hànyǔ?

Can you speak Chinese?

B：我 会 说一点儿。

Wǒ huì shuō yìdiǎnr.

I know a little.

A：我 说 汉语，你 懂吗？

Wǒ shuō Hànyǔ, nǐ dǒng ma?

If I speak Chinese, will you understand?

B：请 你再 说 一遍，我 不懂。

Qǐng nǐ zài shuō yí biàn, wǒ bù dǒng.

Could you please say it again?
I don't understand.

生词　Vocabulary

1. 会 huì	can, be able to	
2. 说 shuō	to speak, to say	
3. 英语 (英文) Yīngyǔ (Yīngwén)	English	
4. 汉语 (中文) Hànyǔ (Zhōngwén)	Chinese	
5. 一点儿 yìdiǎnr	a bit, a little	
6. 懂 dǒng	to understand	
7. 请 qǐng	please	
8. 再 zài	again	
9. 一遍 yí biàn	one time	

课堂活动　Activity

Complete the dialogues.

Nǐ huì shuō Yīngyǔ ma?

Nǐ huì shuō Hànyǔ ma?

语法　Grammar

● Nǐ huì shuō Yīngyǔ ma?

The structure [huì + *v*.] denotes that someone knows how to do something or has a certain ability. E.g., "Wǒ huì shuō Yīngyǔ. (I can speak English.)", "Wǒ huì kāichē. (I know how to drive.)".

The negative form is "bú huì", e.g., "Tā bú huì yóuyǒng. (He doesn't know how to swim.)".

●● Yìdiǎnr

"Yìdiǎnr" followed by a verb or an adjective, indicates a small quantity or a low degree, e.g., "Qǐng zài chī yìdiǎnr. (Please eat a little more.)", "Qǐng màn yìdiǎnr shuō.(Would you please speak a little slower?)". "Yī" can be omitted if "yìdiǎnr" is not at the beginning of a sentence, e.g., "Wǒ yào (yì)diǎnr chá. (I'd like a little tea.)".

●●● Retroflexed with "er"

"Er" is often added to another final to make it retroflexed. The retroflex final is transcribed by adding "r" to the original final, e.g., "huār (flower)", "wánr (play)". In actual writing, 儿 is added to the character, e.g., 花儿 and 玩儿 .

●●●● Qǐng nǐ zài shuō yí biàn.

"Zài" here indicates a repetition or continuation of an action after it has been completed, e.g., "Wǒ xiǎng zài kàn yí biàn. (I want to watch it again.)".

●●●●● Biàn

"Biàn" is a verbal measure word expressing the frequency of an action. The "numeral + biàn" phrase comes after the verb. It emphasizes a whole process from beginning to end, e.g., "Zhè běn shū wǒ kànguo sān biàn. (I've read this book three times.)".

扩展　Extension

Word Bank 🎧

1. 法语（法文） Fǎyǔ (Fǎwén)	French	
2. 德语（德文） Déyǔ (Déwén)	German	
3. 西班牙语（西班牙文） Xībānyáyǔ (Xībānyáwén)	Spanish	
4. 日语（日文） Rìyǔ (Rìwén)	Japanese	
5. 意大利语（意大利文） Yìdàlìyǔ (Yìdàlìwén)	Italian	

6. 俄语（俄文）　　　　　Russian
　　Éyǔ　（Éwén）

7. 普通话　　　　　　　　Mandarin Chinese
　　pǔtōnghuà

练习　Exercises

1. Trace over the red characters with black using the correct stroke order.

会	ノ	人	스	슦	会	会							
会	会	会	会	会	会	会	会	会	会	会	会	会	会
说	、	讠	讠	说	说	说	说	说	说				
说	说	说	说	说	说	说	说	说	说	说	说	说	说
英	一	十	艹	艹	艹	苎	英	英					
英	英	英	英	英	英	英	英	英	英	英	英	英	英
语	、	讠	讠	评	评	语	语	语	语				
语	语	语	语	语	语	语	语	语	语	语	语	语	语
汉	、	冫	氵	汈	汉								
汉	汉	汉	汉	汉	汉	汉	汉	汉	汉	汉	汉	汉	汉
点	丨	卜	占	占	占	点	点	点	点				
点	点	点	点	点	点	点	点	点	点	点	点	点	点
儿	ノ	儿											
儿	儿	儿	儿	儿	儿	儿	儿	儿	儿	儿	儿	儿	儿

懂	丶	忄	忄	忄	忄	忄	忄	忄	忄	忄	惜	惜	懂	懂	懂
	懂	懂	懂	懂	懂	懂	懂	懂	懂	懂	懂	懂	懂	懂
遍	丶	亠	亠	户	户	肩	肩	扁	扁	扁	谝	遍			
	遍	遍	遍	遍	遍	遍	遍	遍	遍	遍	遍	遍	遍	遍

2. Listen and fill in the missing letters. 🎧

(1) Y___ y___   (2) H___ y___

(3) q____   (4) z___

(5) h____   (6) d____

(7) y___ d___   (8) y___ b___

3. Listen and complete the numbers. 🎧

(1) 4___9   (2) 8___5

(3) 30___   (4) 1__74

(5)__ __68   (6) 3__ __9

(7) 1__002   (8) 2__4__

(9) 7__52   (10) __8__9

4. Listen to the Conversation. 🎧

5. Listen to the Vocabulary. 🎧

6. Listen to the vocabulary in Word Bank. 🎧

你家有什么人？　Who is in your family?

Nǐ jiā yǒu shénme rén?

会话　Conversation

A : 你家有什么人？

　　Nǐ jiā yǒu shénme rén?

Who is in your family?

B : 我家有爸爸、妈妈、哥哥和妹妹。My father, mother, elder

　　Wǒ jiā yǒu bàba, māma, gēge hé mèimei. brother and younger sisters.

A : 你有几个妹妹？

　　Nǐ yǒu jǐ gè mèimei?

How many younger sisters
do you have?

B : 我有两个妹妹。

　　Wǒ yǒu liǎng gè mèimei.

I have two younger sisters.

A : 你有没有姐姐和弟弟？

　　Nǐ yǒu méiyǒu jiějie hé dìdi?

Do you have any elder
sisters or younger brothers?

B : 我没有姐姐，也没有弟弟。

　　Wǒ méiyǒu jiějie, yě méiyǒu dìdi.

I have no elder sisters or
younger brothers.

生词 Vocabulary

1. 家 jiā	home, family, house	
2. 有 yǒu	have, there be	
3. 爸爸 bàba	father, dad	
4. 妈妈 māma	mother, mom	
5. 哥哥 gēge	elder brother	
6. 和 hé	and	
7. 妹妹 mèimei	younger sister	
8. 个 gè	(a measure word)	
9. 两 liǎng	two	
10. 没 méi	not; no	
11. 姐姐 jiějie	elder sister	
12. 也 yě	also, too	
13. 弟弟 dìdi	younger brother	

课堂活动　Activity

Complete the dialogues.

语法　Grammar

● Sentence with "yǒu"

When functioning as a predicate, the verb "yǒu" denotes possession and often takes an object, e.g., "Wǒ yǒu shū. (I have a book.)", "Lǎoshī yǒu dìtú .(The teacher has a map.)". The negative form of "yǒu" is "méiyǒu" (never "bù yǒu"). "Wǒ méiyǒu dìtú. (I don't have a map.) ", "Tā méiyǒu gēge.(He doesn't have an elder brother.)".

●● Measure Word "gè"

A measure word is generally used after a numeral or a demonstrative pronoun, but before a noun, e.g., "yí gè mèimei (one younger sister)", "sān gè lǎoshī (three teachers)".

Each Chinese noun can be used only with its specific measure word. We can say "zhège xuésheng", but never "zhè běn xuésheng". A few nouns can be used as measure words as in "yì píng píjiǔ (a bottle of beer)", "sān bēi shuǐ (three glasses of water)".

However, nominal measure words can be placed right before the nouns modified. There doesn't need to be a word equivalent to the English word "of" in it.

"Ge" is the most commonly used measure word for people, characters, questions, etc. "Wǔ ge péngyou (five friends)", "Bā ge hànzì (eight Chinese characters)".

●●● Nǐ yǒu jǐ gè mèimei?

"Jǐ" is used when you want to know the number of people or things, or the date etc. There must be a measure word between "jǐ" and the noun it qualifies, e.g., "Zhè shì jǐ zhāng dìtú? (How many maps are these?)", "Nǐmen yǒu jǐ běn shū? (How many books do you have?)".

●●●● The Use of "liǎng"

Both "liǎng" and "èr" mean two, but they have the following differences in usage: (1) When "two" comes before a measure word, "liǎng" is used instead of "èr". (2) In numbers larger than ten, like 12, 22, 32, 102, "èr" is used irrespective of whether it is followed by a measure word or not, e.g., "liǎng ge lǎoshī", "liǎng běn shū", "èrshí'èr ge xuésheng".

扩展 Extension

Word Bank 🎧

1. 爷爷 yéye	grandfather
2. 奶奶 nǎinai	grandmother
3. 外祖父 wàizǔfù	maternal grandfather
4. 外祖母 wàizǔmǔ	maternal grandmother

5. 丈夫 zhàngfu	husband
6. 妻子 qīzi	wife
7. 儿子 érzi	son
8. 女儿 nǚ'ér	daughter

练习 **Exercises**

1. Introduce the members of these families.

2. Trace over the red characters with black using the correct stroke order.

家	丶 丶 宀 宀 宁 宁 宇 豕 家 家												
	家	家	家	家	家	家	家	家	家	家	家	家	家
有	一 ナ 才 有 有 有												
	有	有	有	有	有	有	有	有	有	有	有	有	有

爸	⺀ 八 ⺌ 父 爷 爷 爸 爸
	爸 爸 爸 爸 爸 爸 爸 爸 爸 爸 爸 爸 爸 爸
妈	⺑ ⼥ 女 妈 妈 妈
	妈 妈 妈 妈 妈 妈 妈 妈 妈 妈 妈 妈 妈 妈
哥	一 ⼁ 丐 可 可 哥 哥 哥 哥 哥
	哥 哥 哥 哥 哥 哥 哥 哥 哥 哥 哥 哥 哥
和	⼃ 二 千 千 禾 禾 和 和
	和 和 和 和 和 和 和 和 和 和 和 和 和
妹	⺑ ⼥ 女 女 妁 奸 妹 妹
	妹 妹 妹 妹 妹 妹 妹 妹 妹 妹 妹 妹 妹 妹
个	丿 人 个
	个 个 个 个 个 个 个 个 个 个 个 个 个 个
两	一 ⼀ 冂 丙 丙 两 两
	两 两 两 两 两 两 两 两 两 两 两 两 两 两
没	⼂ ⼂ 氵 氵 沪 没 没
	没 没 没 没 没 没 没 没 没 没 没 没 没 没
姐	⺑ ⼥ 女 如 如 如 姐 姐
	姐 姐 姐 姐 姐 姐 姐 姐 姐 姐 姐 姐 姐
也	⼁ 也 也
	也 也 也 也 也 也 也 也 也 也 也 也 也 也

弟	、	丷	丷	弫	肖	弟	弟

弟	弟	弟	弟	弟	弟	弟	弟	弟	弟	弟	弟	弟	弟

3. Listen and choose the right answer.

(1) ___ dìdi

a. qī gè

b. yí gè

c. méiyǒu

(2) ___ mèimei

a. yí gè

b. sì gè

c. méiyǒu

(3) ___ gè ___

a. sān; gēge

b. bā; gēge

c. sān; mèimei

(4) ___ gè ___

a. jǐ; jiějie

b. qī; gēge

c. yí; dìdi

(5) ___ gè ___

a. sì; mèimei

b. sān; dìdi

c. sì; dìdi

(6) ___ gè ___

a. yí; mèimei

b. qī; jiějie

c. yí; jiějie

4. Listen and fill in the missing numbers.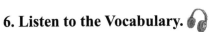

(1) ____ 个老师

(2) ____ 个学生

(3) ____ 个美国人

(4) ____ 个中国人

(5) ____ 个朋友

(6) ____ 个同学

5. Listen to the Conversation.

6. Listen to the Vocabulary.

7. Listen to the vocabulary in Word Bank.

8. Listen and read the following coversation.

A：请问，你家有什么人？　　B：我家有爸爸、妈妈、哥哥和弟弟。

A：你有没有妹妹？　　　　　B：我没有妹妹。

A：你有几个哥哥？　　　　　B：我有两个哥哥。

A：你有几个弟弟？　　　　　B：我有一个弟弟。

A：你弟弟是学生吗？　　　　B：是，他是学生。

A：他几年级？　　　　　　　B：他四年级。

9. Match.

father	érzi
grandfather	gēge
wife	mèimei
older brother	wàizǔfù
husband	bàba
younger sister	yéye
older sister	dìdi
grandmother	wàizǔmǔ
younger brother	jiějie
son	zhàngfu
maternal grandfather	nǚ'ér
daughter	nǎinai
maternal grandmother	māma
mother	qīzi

10. Let's sing a song. 🎧

Two Tigers

(Sung to the tune of "Frere Jacques")

Liǎng zhī lǎohǔ, liǎng zhī lǎohǔ,

Pǎo de kuài, pǎo de kuài,

Yì zhī méiyǒu yǎnjing,

Yì zhī méiyǒu wěiba,

Zhēn qíguài, zhēn qíguài.

Two tigers, two tigers

Run very fast, run very fast,

One has no eyes, one has no tail,

Truly strange, truly strange.

1. 只 zhī	(a measure word)	
2. 老虎 lǎohǔ	tiger	
3. 跑 pǎo	to run	
4. 得 de	(a structural particle)	
5. 快 kuài	fast, quick	
6. 眼睛 yǎnjing	eye	
7. 尾巴 wěiba	tail	
8. 真 zhēn	truly, really	
9. 奇怪 qíguài	strange	

你的家在哪儿？ **Where do you live?**

Nǐ de jiā zài nǎr?

会话 Conversation

A : 你的家在哪儿？ | Where do you live?

Nǐ de jiā zài nǎr?

B : 我的家在林肯路 89 号。 | I live at 89 Lincoln Road.

Wǒ de jiā zài Línkěn Lù bāshíjiǔ hào.

A : 你朋友 住在 学生 宿舍吗？ | Does your friend live in

Nǐ péngyou zhù zài xuésheng sùshè ma? | the student dormitory?

B : 不，他 住在公寓楼。 | No, he lives in an

Bù, tā zhù zài gōngyùlóu. | apartment building.

A : 他住 多少 号？ | What is his room number?

Tā zhù duōshao hào?

B : 他住 三层， 305 号。 | He lives on the third floor,

Tā zhù sān céng, sānlíngwǔ hào. | his room number is 305.

生词　Vocabulary

1. 在 zài	be at (a place)	
2. 哪儿 nǎr	where	
3. 路 lù	road	
4. 号 hào	number	
5. 住 zhù	to live	
6. 宿舍 sùshè	dormitory	
7. 公寓 gōngyù	apartment	
8. 楼 lóu	building	
9. 多少 duōshao	how many, what	
10. 层 céng	floor, storey	

Proper Name

林肯　Lincoln
Línkěn

课堂活动　Activity

Complete the dialogues.

Tāngmǔ de jiā

Wáng lǎoshī　gōngyùlóu wǔ céng

nǐ péngyou

语法　Grammar

● Nǐ de jiā zài nǎr?

"Zài" here is a verb, indicating existence, e.g., "Wǒ bàba zài Měiguó. (My dad is in America.)", "Jímǐ zài Zhōngguó. (Jimmy is in China.)".

●● Zhù zài xuésheng sùshè.

The structure 〔v. + zài + word indicating place〕 expresses a person or a thing existing at a certain place through an action, e.g., "Tā zhù zài Běijīng. (He lives in Beijing.)", "Lǎoshī zuò zài yǐzi shang. (The teacher is sitting on the chair.)".

●●● Tā zhù duōshao hào?

"Duōshao hào" or "jǐ hào" means "what number". "Duōshao" and "jǐ" both ask about numbers. "Jǐ" is usually used with respect to a number smaller than ten, "duōshao" is used for any number and is used either with or without a measure word, e.g., "Nǐ yǒu duōshao (gè) Zhōngguó péngyou? (How many Chinese friends do you have?) ", "Nǐ yǒu jǐ ge Zhōngguó péngyou? (How many Chinese friends do you have?)".

扩展　Extension

Word Bank

1. 街 jiē	street	
2. 大街 dàjiē	avenue	
3. 州 zhōu	state	
4. 市 shì	city, municipality	
5. 北京 Běijīng	Beijing	
6. 上海 Shànghǎi	Shanghai	
7. 纽约 Niǔyuē	New York	
8. 华盛顿 Huáshèngdùn	Washington D.C.	
9. 百老汇 Bǎilǎohuì	Broadway	

练习 Exercises

1. Trace over the red characters with black using the correct stroke order.

在	一	ナ	才	右	存	在							
	在	在	在	在	在	在	在	在	在	在	在	在	在
哪	丶	丨	口	叮	叼	叼	哏	哪	哪				
	哪	哪	哪	哪	哪	哪	哪	哪	哪	哪	哪	哪	哪
儿	丿	儿											
	儿	儿	儿	儿	儿	儿	儿	儿	儿	儿	儿	儿	儿
路	丶	口	口	口	趴	足	足	趴	趴	政	政	路	路
	路	路	路	路	路	路	路	路	路	路	路	路	路
号	丶	口	口	号	号								
	号	号	号	号	号	号	号	号	号	号	号	号	号
住	丿	亻	亻	仁	住	住	住						
	住	住	住	住	住	住	住	住	住	住	住	住	住
宿	丶	宀	宀	宀	宀	宀	宿	宿	宿	宿			
	宿	宿	宿	宿	宿	宿	宿	宿	宿	宿	宿	宿	宿
舍	丿	人	人	今	全	全	舍	舍					
	舍	舍	舍	舍	舍	舍	舍	舍	舍	舍	舍	舍	舍
公	丿	八	公	公									
	公	公	公	公	公	公	公	公	公	公	公	公	公

寓	、	ハ	宀	宀	宁	宁	宫	宫	寓	寓	寓		
	寓	寓	寓	寓	寓	寓	寓	寓	寓	寓	寓	寓	寓
楼	一	十	才	木	术	杙	杙	枠	栉	梻	楼	楼	楼
	楼	楼	楼	楼	楼	楼	楼	楼	楼	楼	楼	楼	楼
多	丿	夕	夕	夗	多	多							
	多	多	多	多	多	多	多	多	多	多	多	多	多
少	丨	小	小	少									
	少	少	少	少	少	少	少	少	少	少	少	少	少
层	一	二	尸	尸	尸	层	层						
	层	层	层	层	层	层	层	层	层	层	层	层	层

2. Listen and choose the right answer. 🎧

(1) _____.

a. Línkěn Lù bā hào

b. Línkěn Lù èrshíbā hào

c. Línkěn Lù shíbā hào

(2) _____.

a. gōngyùlóu

b. Běijǐng Lù

c. xuésheng sùshè

(3) _____.

a. liù céng

b. jiǔ céng

c. sì céng

(4) _____.

    a. qīshíliù hào

    b. jiǔshíliù hào

    c. bāshíliù hào

3. Listen and fill in the missing letters.

(1) g___ y___   (2) g___ x___

(3) ___ì ___ú   (4) ___ǐng ___èn

(5) m___ z___   (6) sh___ m___

(7) s___ sh___   (8) ___éng ___ou

4. Listen to the Conversation.

5. Listen to the Vocabulary.

6. Listen to the vocabulary in Word Bank.

7. Listen and read the following conversation.

A：请问，你的家在哪儿?

B：我家在纽约百老汇大街37号。

A：你朋友的家在哪儿?

B：在华盛顿。

A：他住公寓楼吗?

B：不，他住学生宿舍。

A：他住几层?

B：他住四层。

A：他住多少号?

B：他住4113号。

我来介绍一下。

Wǒ lái jièshào yíxiàr.

Let me introduce.

会话　Conversation

A : 我来介绍一下，

　　Wǒ lái jièshào yíxiàr,

　　这位是 张平 先生。

　　zhè wèi shì Zhāng Píng xiānsheng.

Let me introduce,

this is Mr. Zhang Ping.

B : 很 高兴 认识你。

　　Hěn gāoxìng rènshi nǐ.

Glad to meet you.

C : 认识你我也很 高兴。

　　Rènshi nǐ wǒ yě hěn gāoxìng.

I am glad to meet you too.

B : 欢迎 你们来 我们 学校 参观。

　　Huānyíng nǐmen lái wǒmen xuéxiào cānguān.

Welcome to our school.

C : 太麻烦你们了。

　　Tài máfan nǐmen le.

Sorry to give you so

much trouble.

B : 哪里，哪里。

　　Nǎli, nǎli.

No trouble at all.

生词 Vocabulary

1. 来 lái	to come	
2. 介绍 jièshào	to introduce	
3. 一下 yíxià	a little while	
4. 位 wèi	(a measure word)	
5. 先生 xiānsheng	Mr., sir, gentleman	
6. 认识 rènshi	to know	
7. 高兴 gāoxing	glad, happy	
8. 欢迎 huānyíng	welcome	
9. 你们 nǐmen	you (plural)	
10. 我们 wǒmen	we, us	
11. 学校 xuéxiào	school	
12. 参观 cānguān	to visit	
13. 太 tài	too, too much	

14. 麻烦   trouble
    máfan

15. 了   (a modal particle)
    le

16. 哪里   not really, it was nothing
    nǎli

Proper Name

张平   Zhang Ping

Zhāng Píng

课堂活动　Activity

Role-play (using the expressions you learn from the lesson).

Wáng lǎoshī.

Luóbótè xiānsheng.

Rènshi nǐ wǒ hěn gāoxìng.

Tài máfan nǐmen le.   Nǎ li.

语法 Grammar

● Wǒ lái jièshào yíxiàr.

When "lái" precedes another verb, it indicates that something is going to be done, e.g., "Wǒ lái gàosu tā. (Let me tell him.)", "Nǐ lái niàn. (Would you please read it?)".

●● yíxià

"Yíxià" is a commonly used measure word, indicating the number of times a certain action is repeated. "Yíxià" comes after the verb, indicating the action is of short duration, e.g., "Wǒ kàn yíxià. (Let me look at it.)", "Qǐng bāng wǒ yíxià. (Please help me.)".

●●● Zhè wèi shì Zhāng Píng xiānsheng.

"Wèi" is a measure word and a respectful form of addressing people. It can be preceded by "zhè" or "nà" when used to identify people, e.g., "Zhè wèi shì Zhōngguórén. (This person is Chinese.)", "Wǒ yǒu liǎng wèi lǎoshī. (I have two teachers.)".

●●●● Tài máfan nǐmen le.

In colloquial Chinese, "máfan nǐ le" is often used to express one's gratitude for the help received, e.g., "Zhànle nǐ hěn duō shíjiān, tài máfan nǐ le.(I have taken up a lot of your time and caused you too much trouble.)". The answer might be "Nǎli, nǎli. (No trouble at all.)" or "Nín tài kèqi le. (You are too polite.)".

●●●●● Nǎli, nǎli.

This is a polite response to other people's gratitude or praise. You may repeat it and say "nǎli, nǎli.", or just use a single "nǎli", e.g., "A: Nǐ Hànyǔ shuō de hěn hǎo. (You speak Chinese very well.) B: Nǎli, nǎli. (showing modesty and can be used as a way of saying 'Thank you')".

扩展　Extension

Word Bank 🎧

1. 太太 tàitai	Mrs., madam	
2. 女士 nǚshì	lady (a polite form of address for a woman)	
3. 小姐 xiǎojiě	Miss	
4. 教授 jiàoshòu	professor	
5. 博士 bóshì	Ph.D., Dr.	

练习　Exercises

1. Introduce members of the family in Chinese.

2. Trace over the red characters with black using the correct stroke order.

来	一 一 一 三 平 来 来												
	来	来	来	来	来	来	来	来	来	来	来	来	来	来
介	丿 人 个 介												
	介	介	介	介	介	介	介	介	介	介	介	介	介	介
绍	乙 乡 纟 纠 织 织 绍 绍												
	绍	绍	绍	绍	绍	绍	绍	绍	绍	绍	绍	绍	绍	绍
下	一 丁 下												
	下	下	下	下	下	下	下	下	下	下	下	下	下	下
先	丿 丨 牛 生 歩 先												
	先	先	先	先	先	先	先	先	先	先	先	先	先	先
认	丶 讠 认 认												
	认	认	认	认	认	认	认	认	认	认	认	认	认	认
识	丶 讠 讥 识 识 识 识												
	识	识	识	识	识	识	识	识	识	识	识	识	识	识
高	丶 二 亠 市 亩 户 高 高 高 高												
	高	高	高	高	高	高	高	高	高	高	高	高	高	高
兴	丶 丷 丷 兴 兴 兴												
	兴	兴	兴	兴	兴	兴	兴	兴	兴	兴	兴	兴	兴	兴
欢	乛 又 ヌ 次 欢 欢												
	欢	欢	欢	欢	欢	欢	欢	欢	欢	欢	欢	欢	欢	欢

迎	′	′	⺍	卬	卬	迎	迎							
	迎	迎	迎	迎	迎	迎	迎	迎	迎	迎	迎	迎	迎	迎
们	′	亻	亻	们	们									
	们	们	们	们	们	们	们	们	们	们	们	们	们	们
校	一	十	才	木	朾	栌	栌	栌	栌	校				
	校	校	校	校	校	校	校	校	校	校	校	校	校	校
参	′	⼛	⼛	乒	矢	矣	参	参						
	参	参	参	参	参	参	参	参	参	参	参	参	参	参
观	⼛	又	𰉉	𰉉	观	观								
	观	观	观	观	观	观	观	观	观	观	观	观	观	观
太	一	ナ	大	太										
	太	太	太	太	太	太	太	太	太	太	太	太	太	太
烦	′	′	⺌	火	炉	炉	炉	炉	烦	烦				
	烦	烦	烦	烦	烦	烦	烦	烦	烦	烦	烦	烦	烦	烦
麻	′	二	广	广	厅	庀	庍	麻	麻	麻	麻			
	麻	麻	麻	麻	麻	麻	麻	麻	麻	麻	麻	麻	麻	麻
了	⼂	了												
	了	了	了	了	了	了	了	了	了	了	了	了	了	了
里	⼂	口	日	日	甲	甲	里							
	里	里	里	里	里	里	里	里	里	里	里	里	里	里
位	′	亻	亻	亡	仁	位	位							
	位	位	位	位	位	位	位	位	位	位	位	位	位	位

3. Listen and choose the right English. 🎧

(1) _____   (2) _____   (3) _____

(4) _____   (5) _____   (6) _____

(7) _____   (8) _____   (9) _____

(10) _____   (11) _____   (12) _____

(13) _____   (14) _____   (15) _____

a. glad	b. to come	c. Mr.	d. trouble
e. to introduce	f. to visit	g. a little while	h. to know
i. welcome	j. school	k. we	l. too
m. you (plural)	n. not really	o. (a modal particle)	

4. Listen to the Conversation. 🎧

5. Listen to the Vocabulary. 🎧

6. Listen to the vocabulary in Word Bank. 🎧

现在几点？ **What time is it now?**
Xiànzài jǐ diǎn?

会话 Conversation

A：现在几点？

What time is it now?

Xiànzài jǐ diǎn?

B：现在七点五分。

It's five past seven.

Xiànzài qī diǎn wǔ fēn.

A：你 每天上午 几点 上课？

What time does your
morning class start?

Nǐ měitiān shàngwǔ jǐ diǎn shàngkè?

B：我 每天 上午 八点 上课。

Our class begins at eight
o'clock every morning.

Wǒ měitiān shàngwǔ bā diǎn shàngkè.

A：你下午什么时候学习汉语？

When do you study Chinese
in the afternoon?

Nǐ xiàwǔ shénme shíhou xuéxí Hànyǔ?

B：我下午一点半 学习汉语。

I study Chinese at half past
one in the afternoon.

Wǒ xiàwǔ yì diǎn bàn xuéxí Hànyǔ.

生词　Vocabulary

1. 现在 xiànzài	now
2. 点 diǎn	o'clock
3. 分 fēn	minute
4. 每 měi	every, each
5. 天 tiān	day
6. 上午 shàngwǔ	morning
7. 上（课） shàng (kè)	to attend, to begin
8. 课 kè	class, lesson
9. 下午 xiàwǔ	afternoon
10. 时候 shíhou	time
11. 学习 xuéxí	to study, to learn
12. 半 bàn	half

课堂活动　Activity

Complete the dialogues.

语法　Grammar

● The Indication of Time

The word order of a Chinese time expression generally begins with "hour", precedes "minute" and ends with "second". Under no circumstances can the word "diǎn" (hour) be omitted, e.g.,

1:00	yì diǎn
5:00	wǔ diǎn
12:00	shí'èr diǎn

2:05	liǎng diǎn wǔ fēn
6:30	liù diǎn sānshí fēn (liù diǎn bàn)
11:45	shíyī diǎn sìshíwǔ fēn

Sometimes "diǎn" may be followed by "guò", but the word order of the time expression remains unchanged. This is different from the English time expression with "past" or "after" placed before "hour" but after "minute", e.g.,

3:10	sān diǎn shí fēn (sān diǎn guò shí fēn)
4:25	sì diǎn èrshíwǔ fēn (sì diǎn guò èrshíwǔ fēn)
7:30	qī diǎn bàn

It is incorrect to say "qī diǎn guò bàn". The Chinese word "chà" — the equivalent of "to" in an English time expression, can be used before the "minute" to indicate a point of time between the 31st minute and the 59th minute in any specification of hours, e.g.,

| 4:50 | chà shí fēn wǔ diǎn |
| 8:45 | chà shíwǔ fēn jiǔ diǎn |

●● Time Words

Time words may function as a subject or an object, e.g., "Xiànzài shì jǐ diǎn?". Time words can also be used as adjectival modifiers as in "xiàwǔ de kè(afternoon's class.)" and "míngtiān de kǎoshì (tomorrow's test)". When used as adverbial modifiers, they can be placed before either the verbal predicate or the subject, e.g., "Wǒmen yì diǎn xuéxí Hànyǔ. (We study Chinese at one o'clock.)" "Xiàwǔ wǒ qù xuéxiào.(I will go to school this afternoon.)"

扩展　Extension

Word Bank 🎧

1. 过　　　　　　past
　　guò

2. 差 chà	to lack, be short of
3. 刻 kè	quarter (of an hour)
4. 早上 zǎoshang	(early) morning
5. 中午 zhōngwǔ	noon
6. 晚上 wǎnshang	evening

练习　Exercises

1. Can you say in Chinese what times these clocks show?

(1)

(2)

(3)

(4)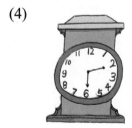

2. Trace over the red characters with black using the correct stroke order.

现	一 二 干 王 玑 玡 现 现												
	现	现	现	现	现	现	现	现	现	现	现	现	现	现
点	丨 卜 占 占 占 点 点 点												
	点	点	点	点	点	点	点	点	点	点	点	点	点	点
分	丿 八 今 分												
	分	分	分	分	分	分	分	分	分	分	分	分	分	分
每	丿 ⺧ 仁 匂 句 每 每												
	每	每	每	每	每	每	每	每	每	每	每	每	每	每
天	一 二 于 天												
	天	天	天	天	天	天	天	天	天	天	天	天	天	天
上	丨 卜 上												
	上	上	上	上	上	上	上	上	上	上	上	上	上	上
午	丿 ⺧ 二 午												
	午	午	午	午	午	午	午	午	午	午	午	午	午	午
课	丶 讠 讠 讧 讧 讧 评 课 课												
	课	课	课	课	课	课	课	课	课	课	课	课	课	课
时	丨 冂 日 日 旷 时 时												
	时	时	时	时	时	时	时	时	时	时	时	时	时	时
候	丿 亻 亻 仁 仨 仨 伊 侯 候												
	候	候	候	候	候	候	候	候	候	候	候	候	候	候

习	了	习	习											
	习	习	习	习	习	习	习	习	习	习	习	习	习	习
半	、	` ´	` ´	兰	半									
	半	半	半	半	半	半	半	半	半	半	半	半	半	半

3. Listen and write the time. 🎧

(1) _____   (2) _____

(3) _____   (4) _____

(5) _____   (6) _____

(7) _____   (8) _____

(9) _____   (10) _____

4. Listen and choose the right answer. 🎧

(1) Tāngmǔ měitiān _____ xuéxí Hànyǔ.

a. jiǔ diǎn

b. shàngwǔ jiǔ diǎn bàn

c. wǎnshang jiǔ diǎn bàn

(2) Wǒ péngyou měitiān xiàwǔ _____ shàngkè.

a. liǎng diǎn

b. liǎng diǎn bàn

c. liǎng diǎn shíwǔ

(3) Wáng Dàmíng _____ xuéxí Yīngyǔ.

a. xiàwǔ sān diǎn

b. xiàwǔ sì diǎn

c. wǎnshang jiǔ diǎn

5. Listen to the Conversation. 🎧

6. Listen to the Vocabulary. 🎧

7. Listen to the vocabulary in Word Bank. 🎧

8. Listen and read the following conversation. 🎧

A：请问，现在几点？

B：现在九点二十五分。

A：你每天什么时候上课？

B：我每天上午八点半上课。

A：你朋友每天上午几点上课？

B：他上午没有课，下午一点上课。

A：你们什么时候学习汉语？

B：我们晚上八点学习汉语。

今天几号？ **What is the date today?**
Jīntiān jǐ hào?

会话 Conversation

A : 今天几号？

Jīntiān jǐ hào?

What is the date today?

B : 今天九月十五号。

Jīntiān jiǔyuè shíwǔ hào.

Today is September 15th.

A : 今天星期几？

Jīntiān xīngqī jǐ?

What day is today?

B : 今天星期三。

Jīntiān xīngqīsān.

Today is Wednesday.

A : 你的生日是哪一天？

Nǐ de shēngrì shì nǎ yì tiān?

When is your birthday?

B : 我的生日是五月二十八号。

Wǒ de shēngrì shì wǔyuè èrshíbā hào.

My birthday is May 28th.

生词 Vocabulary

1. 今天
   jīntiān
   today

2. 一月
   yīyuè
   January

3. 二月
   èryuè
   February

4. 三月
   sānyuè
   March

5. 四月
   sìyuè
   April

6. 五月
   wǔyuè
   May

7. 六月
   liùyuè
   June

8. 七月
   qīyuè
   July

9. 八月
   bāyuè
   August

10. 九月
    jiǔyuè
    September

11. 十月
    shíyuè
    October

12. 十一月
    shíyīyuè
    November

13. 十二月
    shí'èryuè
    December

14.	星期一 xīngqīyī	Monday
15.	星期二 xīngqī'èr	Tuesday
16.	星期三 xīngqīsān	Wednesday
17.	星期四 xīngqīsì	Thursday
18.	星期五 xīngqīwǔ	Friday
19.	星期六 xīngqīliù	Saturday
20.	星期日 (天) xīngqīrì (tiān)	Sunday
21.	生日 shēngrì	birthday

课堂活动　Activity

Role-play

Jīn tiān jǐ hào?

Nǐ de shēngrì shì nǎ yì tiān?

语法   Grammar

● Ways of Expressing "year", "month", "day" and "hour"

In Chinese, when you refer to the full date of a particular day, it should be arranged in the following order:

year → month → date → day (of the week) → hour → minute → second

E.g., 2006 nián, 7 yuè, 8 hào, xīngqīliù, xiàwǔ wǔ diǎn shíqī fēn.

July 8 (Saturday), 5:17 pm, 2006.

In Chinese, the four numerals making up a year are read out separately, such as:

二零零六 (2006) → èr líng líng liù

一九八七 (1987) → yī jiǔ bā qī

●● Jīntiān jiǔyuè shíwǔ hào.

In Chinese, both "hào" and "rì" are used to refer to the date of a particular day. "Hào" is often used in spoken Chinese, and "rì" in written Chinese.

扩展   Extension

Word Bank 🎧

1. 年 nián	year	
2. 月 yuè	month	
3. 日 rì	day	
4. 星期 xīngqī	week	
5. 昨天 zuótiān	yesterday	

6. 明天   tomorrow
   míngtiān

7. 今年   this year
   jīnnián

8. 去年   last year
   qùnián

9. 明年   next year
   míngnián

练习 Exercises

1. Complete the dialogues.

2. Trace over the red characters with black using the correct stroke order.

今	丿	人	仐	今									
	今	今	今	今	今	今	今	今	今	今	今	今	今	今
月	丿	刀	月	月									
	月	月	月	月	月	月	月	月	月	月	月	月	月	月
星	丶	冖	曰	日	尸	旦	昌	星	星				
	星	星	星	星	星	星	星	星	星	星	星	星	星	星
期	一	十	卅	卌	甘	其	其	其	期	期	期	期	
	期	期	期	期	期	期	期	期	期	期	期	期	期	期
日	丨	冂	日	日									
	日	日	日	日	日	日	日	日	日	日	日	日	日	日

3. Listen and fill in the months and dates .

(1) _____yuè_____hào　　　　(2) _____yuè_____hào

(3) _____yuè_____hào　　　　(4) _____yuè_____hào

(5) _____yuè_____hào　　　　(6) _____yuè_____hào

(7) _____yuè_____hào　　　　(8) _____yuè_____hào

(9) _____yuè___hào　　　　(10) _____yuè___hào

4. Listen to the days of the week and write the English.

(1) _____　　　　(2) _____

(3) _____　　　　(4) _____

(5) _____　　　　(6) _____

(7) _____

5. Listen to the Conversation.

6. Listen to the Vocabulary.

7. Listen to the vocabulary in Word Bank.

8. Match.

Jan.	wǔyuè	十月
Feb.	shíyuè	五月
Mar.	jiǔyuè	九月
Apr.	shí'èryuè	八月
May	bāyuè	十二月
Jun.	yīyuè	一月
Jul.	qīyuè	二月
Aug.	shíyīyuè	十一月
Sep.	èryuè	四月
Oct.	sìyuè	七月
Nov.	sānyuè	三月
Dec.	liùyuè	六月

9. Let's sing a song.

Zhù nǐ shēngrì kuàilè.

Zhù nǐ shēngrì kuàilè.

Zhù nǐ shēngrì kuàilè.

Zhù nǐ shēngrì kuàilè.

Happy birthday to you.

Happy birthday to you.

Happy birthday to you.

Happy birthday to you.

1. 祝　　　　　wish
   zhù

2. 快乐　　　　happy
   kuàilè

今天天气 真 好啊！ What a fine day today!
Jīntiān tiānqì zhēn hǎo a!

会话 Conversation 🎧

A：今天天气 真好啊！ | What a fine day today!
Jīntiān tiānqì zhēn hǎo a!

B：是啊，不冷也不热。 | Yes, it's neither too cold nor too hot.
Shì a, bù lěng yě bú rè.

A：明天天气怎么样？ | What's the weather going to be like tomorrow?
Míngtiān tiānqì zěnmeyàng?

B：天气预报说，明天 上午 | The weather forecast said that it will be sunny in the morning and there will be rain in the afternoon.
Tiānqì yùbào shuō, míngtiān shàngwǔ
晴天，下午下雨。
qíngtiān, xiàwǔ xià yǔ.

A：明天 刮风 吗？ | Will it be windy tomorrow?
Míngtiān guāfēng ma?

B：明天 有点儿 小风。 | It will be a bit windy tomorrow.
Míngtiān yǒudiǎnr xiǎo fēng.

A：明天 冷不冷？　　　　Will it be cold tomorrow?

Míngtiān lěng bu lěng?

B：明天比今天冷。　　　　It will be colder than

Míngtiān bǐ jīntiān lěng.　　today.

生词 Vocabulary

1. 天气 tiānqì	weather	
2. 真 zhēn	really	
3. 啊 a	(a modal word)	
4. 冷 lěng	cold	
5. 热 rè	hot	
6. 明天 míngtiān	tomorrow	
7. 怎么样 zěnmeyàng	how	
8. 预报 yùbào	forecast	
9. 晴天 qíngtiān	sunny	
10. 下（雨） xià(yǔ)	(rain) to fall	

11. 雨 yǔ	rain
12. 刮 (风) guā(fēng)	to blow
13. 风 fēng	wind
14. 有点儿 yǒudiǎnr	somewhat, a bit
15. 小 xiǎo	small, little
16. 比 bǐ	than

语法　Grammar

● Míngtiān yǒudiǎnr xiǎo fēng.

The structure 〔yǒudiǎnr ＋ adj.〕indicates a low degree. We may also use a variation "yǒu yìdiǎnr", e.g., "Jīntiān yǒudiǎnr rè. (It's kind of hot today.)", "Tā yǒudiǎnr bù gāoxìng.(He is not very happy.)", "Wǒ yǒu yìdiǎnr lèi. (I am a little tired.)".

●● Míngtiān bǐ jīntiān lěng.

In some sentences of comparison "bǐ" is used to indicate the difference between two things. The adjective may serve as the main part of the predicate, i.e., "subject ＋ bǐ ＋ object ＋ adjective". The adverb of degree "gèng" often appears before the adjective, e.g., "Tā bǐ wǒ niánqīng. (He is younger than me.)", "Wǒ péngyou de Hànyǔ bǐ wǒ de Hànyǔ gèng hǎo. (My friend's Chinese is better than mine.)".

扩展　Extension

Word Bank 🎧

1. 暖和 nuǎnhuo	warm	
2. 凉快 liángkuai	nice and cool	
3. 阴天 yīntiān	cloudy day	
4. 潮湿 cháoshī	moist	
5. 干燥 gānzào	dry	
6. 下雨了 xià yǔ le	it's raining	
7. 下雪了 xià xuě le	it's snowing	

练习　Exercises

1. Trace over the red characters with black using the correct stroke order.

气	⺍ ⺌ ⺋ 气													
	气	气	气	气	气	气	气	气	气	气	气	气	气	气
真	一 十 广 亣 亣 盲 盲 直 真 真													
	真	真	真	真	真	真	真	真	真	真	真	真	真	真

啊	丶	丨	口	口ˀ	吖	吖	听	听	听	啊			
啊	啊	啊	啊	啊	啊	啊	啊	啊	啊	啊	啊	啊	啊
冷	丶	冫	冫	冷	冸	冷	冷						
冷	冷	冷	冷	冷	冷	冷	冷	冷	冷	冷	冷	冷	冷
热	一	十	扌	扌	执	执	执	热	热	热			
热	热	热	热	热	热	热	热	热	热	热	热	热	热
明	丨	冂	日	日	旫	明	明	明					
明	明	明	明	明	明	明	明	明	明	明	明	明	明
怎	丿	仁	仁	仵	乍	乍	怎	怎	怎				
怎	怎	怎	怎	怎	怎	怎	怎	怎	怎	怎	怎	怎	怎
样	一	十	才	木	术	栏	栏	栏	栏	样			
样	样	样	样	样	样	样	样	样	样	样	样	样	样
预	龴	丆	乛	予	予	予	预	预	预	预			
预	预	预	预	预	预	预	预	预	预	预	预	预	预
报	一	十	扌	扌	护	报	报						
报	报	报	报	报	报	报	报	报	报	报	报	报	报
晴	丨	冂	日	日	旫	旫	旫	晴	晴	晴	晴		
晴	晴	晴	晴	晴	晴	晴	晴	晴	晴	晴	晴	晴	晴
雨	一	厂	门	币	雨	雨	雨	雨					
雨	雨	雨	雨	雨	雨	雨	雨	雨	雨	雨	雨	雨	雨
刮	一	二	千	千	舌	舌	刮	刮					
刮	刮	刮	刮	刮	刮	刮	刮	刮	刮	刮	刮	刮	刮

风	㇒	几	凡	风											
	风	风	风	风	风	风	风	风	风	风	风	风	风	风	
小	㇚	小	小												
	小	小	小	小	小	小	小	小	小	小	小	小	小	小	
比	‐	㇀	比	比											
	比	比	比	比	比	比	比	比	比	比	比	比	比	比	

2. Listen to the Conversation. 🎧

3. Listen to the Vocabulary. 🎧

4. Listen to the vocabulary in Word Bank. 🎧

5. Listen and choose the correct answer. 🎧

(1) Jīntiān tiānqì zhēn____.

a. hǎo

b. lěng

c. rè

(2) Míngtiān shàngwǔ ___.

a. guāfēng

b. xià yǔ

c. qíngtiān

(3) Tiānqì yùbào shuō ____.

a. jīntiān xiàwǔ xià yǔ

b. jīntiān shàngwǔ xià yǔ

c. míngtiān xiàwǔ xià yǔ

(4) Tiānqì yùbào shuō____.

a. míngtiān bǐ jīntiān lěng

b. jīntiān bǐ míngtiān lěng

c. míngtiān bù lěng

6. Fill in the blanks with appropriate Chinese characters.

(1) rè

☐

hot

(2) lěng

☐

cold

(3) tiānqì

☐☐

weather

(4) míngtiān

☐☐

tomorrow

(5) qíng

☐

sunny

(6) guā fēng

☐☐

windy

(7) xià yǔ

☐☐

rain

(8) yùbào

☐☐

forecast

(9) xiǎo

☐

small

(10) zěnmeyàng

☐☐☐

how

春天 到了。

Chūntiān dào le.

Spring is here.

会话 Conversation

A : 春天 到了，天气越来越暖和了。

Chūntiān dào le,　tiānqì yuèláiyuè nuǎnhuo le.

Spring is here, and it's getting warmer every day.

B : 听说 北京的春天

Tīngshuō Běijīng de chūntiān

常常 刮风，是吗？

chángcháng guāfēng, shì ma?

I heard that Beijing's spring is very windy, isn't it?

A : 是的，北京的 春天 很 干燥。

Shì de,　Běijīng de chūntiān hěn gānzào.

Yes, it's very dry during spring in Beijing.

B : 北京的夏天热不热？

Běijīng de xiàtiān rè　bu rè?

Is it very hot in summer in Beijing?

A : 北京的夏天没有这里热。

Běijīng de xiàtiān méiyǒu zhèli　rè.

Beijing's summer is not as hot as it is here.

B：我想去北京旅游，

Wǒ xiǎng qù Běijīng lǚyóu,

哪个季节最好？

nǎge jìjié zuì hǎo?

I want to go to Beijing for a trip, what is the best season to go there?

A：北京的秋天是最好的季节。

Běijīng de qiūtiān shì zuì hǎo de jìjié.

Autumn is the best season in Beijing.

生词 Vocabulary 🎧

1.	春天 chūntiān	spring
2.	到 dào	to reach, to get to
3.	越来越 yuèláiyuè	more and more
4.	暖和 nuǎnhuo	warm
5.	听说 tīngshuō	it is said, I hear
6.	常常 chángcháng	often
7.	干燥 gānzào	dry
8.	夏天 xiàtiān	summer
9.	这里 zhèli	here

10. 想 xiǎng	to want
11. 去 qù	to go
12. 旅游 lǚyóu	to travel
13. 季节 jìjié	season
14. 最 zuì	most
15. 秋天 qiūtiān	autumn, fall

语法 Grammar

● Chūntiān dào le. The Perfect Aspect of Verbs

Unlike English verbs, the Chinese ones have neither tense nor voice. The perfect aspect of a Chinese verb is expressed by the aspectual particle "le" (indicating a complete or perfect action) preceded by a verb. Its negative form is "méi (yǒu) " plus a verb (without "le"), e.g., "Tā zǒu le.(He has gone.)", "Wǒ mǎi shū le. (I bought a book.)", "Wǒ péngyou méi (yǒu) mǎi shū. (My friend didn't buy a book.)".

The object after "verb + le" is always preceded by a numeral-measure word phrase or an adjectival modifier, e.g., "Wǒ mǎile yì běn shū. (I bought a book.)", "Tā kànle hěn duō Zhōngwén shū. (He has read a lot of Chinese books.)".

●● Tiānqì yuèláiyuè nuǎnhuo le.

The structure "yuèláiyuè" denotes that something continues to develop and change as time goes by, e.g., "Tiān yuèláiyuè hēi le. (It's getting darker.)", "Yǔ xià de yuèláiyuè dà le. (It is raining harder and harder.)".

●●● Tīngshuō Běijīng de chūntiān chángcháng guāfēng.

"Tīngshuō" means "I heard that...". It is used when the source of the news does not need to be known, e.g., "Tīngshuō míngtiān xià yǔ. (I heard that it will rain tomorrow.)", "Tīngshuō Lǐ Xiǎoméi qù Zhōngguó le. (I heard Li Xiaomei has gone to China.)".

●●●● Tīngshuō Běijīng de chūntiān chángcháng guāfēng, shì ma?

The structure "..., shì ma?" is often used when requesting verification from the listener. If the answer is affirmative, "shì a" or "shì de" is used. "Bú" or "bú shì de" is used in a negative answer. e.g., "Nǐmen xīngqīyī xuéxí Hànyǔ, shì ma? (You learn Chinese on Monday, don't you?)".

●●●●● Běijīng de xiàtiān méiyǒu zhèli rè. Sentence of Comparison with "méiyǒu"

"Méiyǒu" can be used to indicate inequality in comparison. In that case "zhème" or "nàme" often goes before the adjective, e.g., "Wǒ méiyǒu tā gāo.(I am not as tall as him.)", "Tā xiě de méiyǒu wǒ xiě de nàme hǎo. (What he writes is not as good as what I write.)".

扩展　Extension

Word Bank

1. 冬天 dōngtiān	winter	
2. 雷 léi	thunder	
3. 闪电 shǎndiàn	lightning	
4. 雾 wù	fog	

5. 霜　　　　　　frost
　　shuāng

6. 冰雹　　　　　hail, hailstone
　　bīngbáo

7. 龙卷风　　　　tornado
　　lóngjuǎnfēng

8. 飓风　　　　　hurricane
　　jùfēng

9. 气温　　　　　temperature
　　qìwēn

10. 摄氏　　　　centigrade
　　 shèshì

11. 华氏　　　　Fahrenheit
　　 huáshì

练习　Exercises

1. Trace over the red characters with black using the correct stroke order.

春	一　二　三　声　夫　去　春　春　春
	春　春　春　春　春　春　春　春　春　春　春　春　春　春
到	一　工　エ　玉　至　至　到　到
	到　到　到　到　到　到　到　到　到　到　到　到　到　到
越	一　十　土　キ　キ　未　走　走　赴　赴　越　越
	越　越　越　越　越　越　越　越　越　越　越　越　越　越
暖	丨　冂　冂　日　日　旷　旷　旷　旷　昭　暖　暖
	暖　暖　暖　暖　暖　暖　暖　暖　暖　暖　暖　暖　暖　暖

听	丶	厂	口	叮	叮	听	听							
	听	听	听	听	听	听	听	听	听	听	听	听	听	听
常	丶	丷	丷	丷	兯	兯	常	常	常	常				
	常	常	常	常	常	常	常	常	常	常	常	常	常	常
干	一	二	干											
	干	干	干	干	干	干	干	干	干	干	干	干	干	干
燥	丶	丷	火	火	灯	炉	炉	炉	燥	燥	燥	燥	燥	燥
	燥	燥	燥	燥	燥	燥	燥	燥	燥	燥	燥	燥	燥	燥
夏	一	一	丆	百	百	百	百	頁	夏	夏				
	夏	夏	夏	夏	夏	夏	夏	夏	夏	夏	夏	夏	夏	夏
里	丶	冂	冂	曰	甲	甲	里							
	里	里	里	里	里	里	里	里	里	里	里	里	里	里
想	一	十	才	木	相	相	相	相	相	想	想	想		
	想	想	想	想	想	想	想	想	想	想	想	想	想	想
去	一	十	土	去	去									
	去	去	去	去	去	去	去	去	去	去	去	去	去	去
旅	丶	二	亍	方	方	斻	斿	旅	旅					
	旅	旅	旅	旅	旅	旅	旅	旅	旅	旅	旅	旅	旅	旅
游	丶	丷	氵	汸	沪	汸	汸	汸	游	游	游			
	游	游	游	游	游	游	游	游	游	游	游	游	游	游
季	一	二	千	禾	禾	禾	季	季						
	季	季	季	季	季	季	季	季	季	季	季	季	季	季

节	一	十	艹	节	节									
	节	节	节	节	节	节	节	节	节	节	节	节	节	节
最	丶	冂	冃	日	旦	旱	畳	畳	骨	冔	最	最		
	最	最	最	最	最	最	最	最	最	最	最	最	最	最
秋	丿	二	千	干	禾	禾	禾丶	秋	秋					
	秋	秋	秋	秋	秋	秋	秋	秋	秋	秋	秋	秋	秋	秋

2. Listen to the Conversation. 🎧

3. Listen to the Vocabulary. 🎧

4. Listen to the vocabulary in Word Bank. 🎧

5. Listen and read the following conversation. 🎧

A：春天到了。

B：是啊，天气越来越暖和了。

A：今天天气真好，不冷也不热。

B：听说纽约的冬天很冷。

A：是的，纽约的冬天比这里冷。

B：这里的夏天常常下雨吗？

A：这里的夏天常常下雨。

B：你喜欢这里的夏天吗？

A：我不喜欢这里的夏天。

B：这里哪个季节最好？

A：这里的春天最好。

6. Listen and choose the right answer. 🎧

(1) Běijīng de chūntiān zěnmeyàng? _____.

a. chángcháng guāfēng

b. chángcháng xià yǔ

c. hěn rè

(2) Běijīng de xiàtiān zěnmeyàng? _____.

a. bú rè

b. hěn rè

c. bù lěng bú rè

(3) Běijīng de qiūtiān zěnmeyàng? _____.

a. hěn lěng

b. chángcháng guāfēng

c. bù lěng yě bú rè

(4) Běijīng de dōngtiān zěnmeyàng? _____.

a. hěn lěng

b. bù lěng

c. bù lěng bú rè

7. Write the corresponding Chinese characters.

1. spring _____

2. summer _____

3. How are you? _____

4. very hot _____

5. hottest _____

6. You are welcome. _____

7. not cold _____

8. an older brother and a younger brother _____

9. warm _____

10. very good _____

11. weather _____

12. warmest _____

你最喜欢 什么 颜色? What color do you like most?
Nǐ zuì xǐhuan shénme yánsè?

会话 Conversation 🎧

A : 你最喜欢 什么 颜色?
Nǐ zuì xǐhuan shénme yánsè?

What color do you like most?

B : 我最喜欢绿色。
Wǒ zuì xǐhuan lǜsè.

My favorite color is green.

A : 美国国旗有 几种 颜色?
Měiguó guóqí yǒu jǐ zhǒng yánsè?

How many colors are there
on the flag of the United States?

B : 美国 国旗有 三种 颜色,
Měiguó guóqí yǒu sān zhǒng yánsè,

它们是红色、白色和蓝色。
tāmen shì hóngsè, báisè hé lánsè.

Three, they are red,
white and blue.

A : 你爸爸的汽车是黄的吗?
Nǐ bàba de qìchē shì huáng de ma?

Is your father's car yellow?

B : 我爸爸的汽车不是黄的,
Wǒ bàba de qìchē bú shì huáng de,

是黑的。
shì hēi de.

My father's car is not yellow,
it's black.

生词　Vocabulary

1.	喜欢 xǐhuan	to like, be fond of
2.	颜色 yánsè	color
3.	绿色 lǜsè	green
4.	国旗 guóqí	national flag
5.	种 zhǒng	kind, type
6.	它们 tāmen	they
7.	红色 hóngsè	red
8.	白色 báisè	white
9.	蓝色 lánsè	blue
10.	黄色 huángsè	yellow
11.	黑色 hēisè	black
12.	汽车 qìchē	car

语法　Grammar

● Nǐ zuì xǐhuan shénme yánsè?

"Zuì" is an adverb indicating superiority. It is used in a comparison where more than two persons or things are involved. Here are some more examples: "Zhè zhǒng qìchē zuì hǎo. (This kind of car is the best.)", "Wǒ zuì xǐhuan hē chá. (I like tea best.)".

●● tā (he), tā (she), tā (it)

The personal pronouns "tā (he)", "tā (she)" and "tā (it)" sound exactly the same, but they are different in the written form. In writing, 他 is used to denote a male person, 她 a female one, and 它 non-human.

●●● Nǐ bàba de qìchē shì huáng(sè) de ma?

When a color is used as a noun, "(yán)sè" should be added after the color, such as "lǜ(yán)sè", "hóng (yán) sè", "bái (yán)sè", "huáng (yán)sè". When a color modifies a noun, it should be written like this: [color + n.]. E.g., "hóng chènshān (red shirt)", "hēi(yán)sè màozi (black hat)".

A [color + de] structure does the same work as a noun and can stand alone. This type of construction often forms part of a "shì" sentence. E.g., "Wǒ gēge de shūbao shì huáng(sè) de (My brother's bag is yellow.)"

扩展　Extension

Word Bank 🎧

1. 紫色 zǐsè	purple
2. 粉红色 fěnhóngsè	pink

3. 棕色 (咖啡色)　　　　brown
   zōngsè (kāfēisè)

4. 金黄色　　　　　　　golden yellow
   jīnhuángsè

5. 银灰色　　　　　　　silver gray
   yínhuīsè

6. 灰色　　　　　　　　gray
   huīsè

7. 橙色 (橘黄色)　　　　orange
   chéngsè (júhuángsè)

8. 深色　　　　　　　　dark color
   shēnsè

9. 浅色　　　　　　　　light color
   qiǎnsè

练习　Exercises

1. Trace over the red characters with black using the correct stroke order.

喜	一	十	士	吉	吉	吉	壹	壹	壴	壴	喜	喜		
	喜	喜	喜	喜	喜	喜	喜	喜	喜	喜	喜	喜	喜	喜
欢	ﾌ	又	欢	欢	欢	欢								
	欢	欢	欢	欢	欢	欢	欢	欢	欢	欢	欢	欢	欢	欢
颜	丶	二	六	产	立	产	产	彦	彦	彦	彦	彦	颜	颜	颜
	颜	颜	颜	颜	颜	颜	颜	颜	颜	颜	颜	颜	颜	颜

色	⺈	⺈	⺈	名	刍	色								
	色	色	色	色	色	色	色	色	色	色	色	色	色	色
绿	⺄	纟	纟	纩	纩	纩	纾	纾	绿	绿				
	绿	绿	绿	绿	绿	绿	绿	绿	绿	绿	绿	绿	绿	
红	⺄	纟	纟	纟	红	红								
	红	红	红	红	红	红	红	红	红	红	红	红	红	
白	⺊	⺊	冂	白	白									
	白	白	白	白	白	白	白	白	白	白	白	白	白	
兰	⺀	⺀	丷	兰	兰									
	兰	兰	兰	兰	兰	兰	兰	兰	兰	兰	兰	兰	兰	兰
黄	一	十	卄	艹	芾	芇	苗	苗	黄	黄				
	黄	黄	黄	黄	黄	黄	黄	黄	黄	黄	黄	黄	黄	黄
黑	⺀	冂	冂	四	四	甲	甲	里	里	黑	黑	黑		
	黑	黑	黑	黑	黑	黑	黑	黑	黑	黑	黑	黑	黑	黑
旗	⺀	⺁	亐	方	方	疒	疒	斻	斻	斿	旌	旗	旗	
	旗	旗	旗	旗	旗	旗	旗	旗	旗	旗	旗	旗	旗	
种	⺀	二	千	千	禾	禾	禾	和	种					
	种	种	种	种	种	种	种	种	种	种	种	种	种	种
它	⺀	⺊	宀	宁	它									
	它	它	它	它	它	它	它	它	它	它	它	它	它	它

汽	丶	冫	氵	氵	汽	汽									
	汽	汽	汽	汽	汽	汽	汽	汽	汽	汽	汽	汽	汽	汽
车	一	七	七	车											
	车	车	车	车	车	车	车	车	车	车	车	车	车	车

2. Listen to the Conversation. 🎧

3. Listen to the Vocabulary. 🎧

4. Listen to the vocabulary in Word Bank. 🎧

5. Listen and read the following conversation. 🎧

A：中国国旗有几种颜色？

B：中国国旗有两种颜色。

A：它们是什么颜色？

B：它们是红色和黄色。

A：你最喜欢什么颜色？

B：我最喜欢蓝色。

A：你最不喜欢什么颜色？

B：我最不喜欢黑色。

A：你们学校的汽车是什么颜色？

B：我们学校的汽车是黄色的。

6. What color do you hear? 🎧

(1) _____   (2) _____

(3) _____   (4) _____

(5) _____   (6) _____

(7) _____ (8) _____

(9) _____ (10) _____

7. Fill in the blanks with appropriate Chinese characters.

(1) hóng _____ (2) bái _____

(3) lǜ _____ (4) huáng _____

(5) hēi _____ (6) lán _____

(7) sè _____ (8) yán _____

(9) xǐ _____ (10) huān _____

(11) qì _____ (12) chē _____

(13) zuì _____

喂，你找谁？　Hello, who do you want to speak to?

Wèi，　nǐ zhǎo shuí?

会话　Conversation

A：喂，你找谁？

Wèi，　nǐ zhǎo shuí?

Hello, who do you want to speak to?

B：我找李老师，他在吗？

Wǒ zhǎo Lǐ lǎoshī,　tā zài ma?

May I speak to professor Li?

Is he there?

A：您是哪位啊？

Nín shì nǎ wèi a?

May I know who is calling?

B：我是他的学生　汤姆。

Wǒ shì tā de xuésheng Tāngmǔ.

This is his student Tom.

A：好，请等一等。……

Hǎo，qǐng děng yi děng…

他不在，去图书馆了。

Tā bú zài，qù túshūguǎn le.

OK, hold on a minute, please….

He isn't here, he is at the library.

B：他的手机号码是多少？　What is his cell phone number?

Tā de shǒujī hàomǎ shì duōshao?

A：他没有手机。　He doesn't have a cell phone.

Tā méiyǒu shǒujī.

B：好吧，我过一会儿　OK, I'll call back later.

Hǎo ba, wǒ guò yíhuìr

再给他打电话。

zài gěi tā dǎ diànhuà.

生词　Vocabulary

1. 喂 wèi	hello	
2. 找 zhǎo	look for	
3. 等 děng	to wait	
4. 图书馆 túshūguǎn	library	
5. 手机 shǒujī	cell phone	
6. 号码 hàomǎ	number	
7. 吧 ba	(a modal particle)	

8. 过 guò	to spend, to pass
9. 一会儿 yíhuìr	a little while
10. 给 gěi	to
11. 打（电话） dǎ (diànhuà)	to make (phone call)
12. 电话 diànhuà	telephone call, telephone

语法　Grammar

● wèi

"Wèi" means "hello". It is often used to greet people or to attract their attention. When making a telephone call, "wei" can either be pronounced "wèi" or "wéi", e.g., "Wèi, shì Běijīng Dàxué ma? (Hello, is this Peking University?)".

●● Nín shì nǎ wèi a?

"Nǎ wèi" means "who", "which person". It is a polite form.

●●● Qǐng děng yi děng.　　Reduplication of Verbs

Verbs denoting actions can be repeated or reduplicated. This device is usually employed when one wishes to indicate that the action is of very short duration, to soften the tone of a sentence, or to make it sound relaxed or informal. Sometimes a verb is reduplicated to imply that what is done is just for the purpose of trying something out, e.g., "Wǒ kànkan. (Let me see.)", "Nǐ xiǎngxiang. (Think about it.)". "Qǐng děng yi děng. (Please wait.)" has the same meaning as "qǐng děngdeng". When a monosyllabic verb is reduplicated, "yī" can be inserted in between, e.g., "Wǒ kànkan → Wǒ kàn yi kàn", "Nǐ xiǎngxiǎng → Nǐ xiǎng yi xiǎng.

●●●● hǎo ba

"Ba" here expresses a tone of agreement, e.g., "Hǎo ba, wǒ míngtiān lái.(OK, I will come tomorrow.)"

●●●●● guò yíhuìr

"Yíhuìr", which means a very short period of time, is used here as a complement, e.g., "Wǒmen xiūxi yíhuìr. (We will rest for a while.)", "Qǐng tāmen děng yíhuìr. (Tell them to wait for a while.)".

●●●●●● zài gěi tā dǎ diànhuà

"Gěi" is a preposition. The function of "gěi" is to point out the receiver of an action. If the preposition indicates the beneficiary of the action, the English preposition is "for", e.g., "Wǒ gěi māma xǐ yīfu. (I wash the clothes for mom.)". If it indicates the recipient of the object of the verb, the English preposition is "to", e.g., "Wǒ chángcháng gěi wǒ péngyou dǎ diànhuà. (I often call my friends.)".

扩展 Extension

Word Bank 🎧

1. 电话号码 diànhuà hàomǎ	telephone number
2. 电子邮件 diànzǐ yóujiàn	e-mail
3. 发短信 fā duǎnxìn	send a short (cell phone) message
4. 你打错了 Nǐ dǎcuò le	you have the wrong number
5. 请留言 qǐng liú yán	please leave a message
6. 银行 yínháng	bank

7. 邮局
   yóujú

post office

8. 超市
   chāoshì

supermarket

9. 公园
   gōngyuán

park

10. 医院
    yīyuàn

hospital

练习　Exercises

1. Role-play (using the expressions you learn from the lesson).

túshūguǎn

xuéxiào

yóujú

yínháng

2. Trace over the red characters with black using the correct stroke order.

喂	ノ 冂 冋 冋 唱 唱 喞 喞 喂 喂 喂
	喂 喂 喂 喂 喂 喂 喂 喂 喂 喂 喂 喂 喂 喂
找	一 十 扌 扌 扰 找 找
	找 找 找 找 找 找 找 找 找 找 找 找 找
等	ノ 𠂉 𠂉 𥫗 竺 竺 竺 竺 笙 笙 等 等
	等 等 等 等 等 等 等 等 等 等 等 等 等
图	丨 冂 冂 冈 冈 图 图 图
	图 图 图 图 图 图 图 图 图 图 图 图 图 图
馆	ノ 𠂉 𠂉 𠂎 𠂎 𬌗 𬌗 𬌗 𬌗 馆 馆
	馆 馆 馆 馆 馆 馆 馆 馆 馆 馆 馆 馆 馆 馆
手	ノ 二 三 手
	手 手 手 手 手 手 手 手 手 手 手 手 手 手
机	一 十 才 木 机 机
	机 机 机 机 机 机 机 机 机 机 机 机 机 机
码	一 丆 石 石 石 码 码
	码 码 码 码 码 码 码 码 码 码 码 码 码
过	一 十 寸 寸 辻 过
	过 过 过 过 过 过 过 过 过 过 过 过 过
给	ノ 乡 乡 纟 纠 纶 绐 给 给

	给	给	给	给	给	给	给	给	给	给	给	给	给
打	一	十	扌	扩	打								
	打	打	打	打	打	打	打	打	打	打	打	打	打
电	丶	冂	曰	日	电								
	电	电	电	电	电	电	电	电	电	电	电	电	电
话	丶	讠	讠	讠	迁	诓	话	话					
	话	话	话	话	话	话	话	话	话	话	话	话	话

3. Listen to the Conversation. 🎧

4. Listen to the Vocabulary. 🎧

5. Listen to the vocabulary in Word Bank. 🎧

6. Listen and read the following conversation. 🎧

A：喂，你好!

B：你好，你是哪位?

A：我是李小梅。

B：你找谁?

A：我找王大明，我是他的朋友。

B：他不在。

A：他去图书馆了吗?

B：他去学校了。

A：他的手机号码是多少?

B：他的手机号码是 318-0476。

A：谢谢你。

B：不客气，你过一会儿再给他打电话。

A：好，再见。

B：再见。

7. Listen and choose the correct answer.

(1) Nǐ zhǎo shuí? _____

a. Zhāng Wén.

b. Cháng Míng.

c. Zhāng Píng.

(2) Nǐ shì nǎ wèi? _____

a. Tā de péngyou.

b. Tā de xuésheng.

c. Tā de lǎoshī.

(3) Tā bú zài. Tā qù nǎr le? _____

a. túshūguǎn.

b. yīyuàn.

c. yínháng.

(4) Tā de shǒujī hàomǎ shì duōshao? _____

a. 714-3205.

b. 963-7002.

c. 184-6579.

你怎么了？ **What's wrong?**

Nǐ zěnme le?

会话 Conversation 🎧

A：你怎么了？

Nǐ zěnme le?

What's wrong?

B：我头疼，嗓子疼，流鼻涕。

Wǒ tóu téng, sǎngzi téng, liú bíti.

I've got a headache, a sore throat, and have a runny nose.

A：张开嘴，我看看你的舌头。

Zhāngkāi zuǐ, wǒ kànkan nǐ de shétou.

Please open your mouth and let me look at your tongue.

B：好吧。

Hǎo ba.

All right.

A：请你把上衣解开，

Qǐng nǐ bǎ shàngyī jiěkāi,

我听听你的心和肺。

wǒ tīngting nǐ de xīn hé fèi.

Unzip your jacket please and I'll check your heart and lungs.

B：大夫，我得的是什么病？

Dàifu, wǒ dé de shì shénme bìng?

What's wrong with me doctor?

A：你感冒了，吃点儿药就好了。

Nǐ gǎnmào le, chī diǎnr yào jiù hǎo le.

You've caught a cold. Take some medicine and you'll be all right.

生词　Vocabulary

1. 怎么 zěnme	how
2. 头 tóu	head
3. 疼 téng	ache
4. 嗓子 sǎngzi	throat
5. 鼻子 bízi	nose
6. 流 liú	to flow, to run
7. 鼻涕 bíti	nasal mucus
8. 张 zhāng	to open
9. 开 kāi	open

10. 嘴 zuǐ	mouth
11. 看 kàn	to look, to watch
12. 舌头 shétou	tongue
13. 把 bǎ	(a preposition)
14. 上衣 shàngyī	jacket
15. 解 jiě	to untie, to undo
16. 听 tīng	to listen
17. 心 xīn	heart
18. 肺 fèi	lung
19. 大夫 dàifu	doctor
20. 得 dé	suffer from (an illness)
21. 病 bìng	illness
22. 感冒 gǎnmào	catch a cold
23. 吃 chī	to eat

24. 药　　　　medicine
　　yào

25. 就　　　　then
　　jiù

课堂活动　Activity

Role-play (using the expressions you learn from the lesson).

张嘴

嗓子疼

语法　Grammar

● Nǐ zěnme le?

"Zěnme le" is often used to inquire about someone or something that is not normal, e.g., "Nǐ zěnme le, wèishénme bù gāoxìng? (What's wrong, why aren't you happy?)", "Zhège mén zěnme le, xiànzài kāi bu kāi le. (What's wrong with the door? I can't open it.)".

●● Zhāngkāi zuǐ.

"Kāi" is a verb. It is used as a complement of a result that makes something folded or fastened become open by an action, e.g., "Qǐng dǎkāi shū. (Please open your books)", "Nǐ bǎ mén dǎkāi. (Please open the door.)".

●●● Qǐng nǐ bǎ shàngyī jiěkāi.

The structure [bǎ + n. + v.] is used to stress the result of an action. The noun following the word "bǎ" is usually the object of the verb behind it.

The noun is thus placed at the beginning of the sentence for emphasis, e.g., "Qǐng bǎ nǐ de dìtú gěi wǒ kànkan.(Please let me look at your map.)", "Wǒ bǎ qìchē nònghuài le. (I broke the car.)".

●●●● Chī diǎnr yào jiù hǎo le.

"Jiù" is an adverb, and when used in such a way it means "in a very short time", "in a minute", e.g., "Tā jiù lái. (He will be here in a minute.)", "Wǒmen jiù yào kǎoshì le. (We are about to take a test.)".

扩展 Extension

Word Bank 🎧

1. 身体 shēntǐ	body
2. 脸 liǎn	face
3. 眼睛 yǎnjing	eye
4. 耳朵 ěrduo	ear
5. 牙 yá	tooth

6. 胳膊 gēbo	arm	
7. 头发 tóufa	hair	
8. 手指 shǒuzhǐ	finger	
9. 腿 tuǐ	leg	
10. 脚 jiǎo	foot	
11. 肝 gān	liver	
12. 胃 wèi	stomach	
13. 肾 shèn	kidney	

练习 Exercises

1. Read the words aloud as you color the girl's face.

(1) tóufa   (2) yǎnjing

(3) zuǐ   (4) yá

(5) ěrduo   (6) shétou

(7) bízi

2. Trace over the red characters with black using the correct stroke order.

头	、	'	＾	二	头	头							
	头	头	头	头	头	头	头	头	头	头	头	头	头	头
疼	、	＾	广	广	疒	疒	疒	疚	疼	疼	疼		
	疼	疼	疼	疼	疼	疼	疼	疼	疼	疼	疼	疼	疼	疼
嗓	丨	冂	口	叮	呀	哞	哞	嗓	嗓	嗓	嗓	嗓	
	嗓	嗓	嗓	嗓	嗓	嗓	嗓	嗓	嗓	嗓	嗓	嗓	嗓	嗓
子	﹁	了	子										
	子	子	子	子	子	子	子	子	子	子	子	子	子	子
鼻	'	'	冃	白	自	自	鸟	鸟	鼻	畠	畠	鼻	鼻	
	鼻	鼻	鼻	鼻	鼻	鼻	鼻	鼻	鼻	鼻	鼻	鼻	鼻	鼻
流	、	'	氵	汀	氵	汇	浐	泸	泸	流	流		
	流	流	流	流	流	流	流	流	流	流	流	流	流	流
涕	、	'	氵	氵	汁	沪	沪	涕	涕	涕			
	涕	涕	涕	涕	涕	涕	涕	涕	涕	涕	涕	涕	涕	涕
张	﹁	丁	弓	弘	弘	张	张						
	张	张	张	张	张	张	张	张	张	张	张	张	张	张
开	一	二	干	开									
	开	开	开	开	开	开	开	开	开	开	开	开	开	开
嘴	丨	冂	口	叮	吁	吵	吡	呲	呲	嘴	嘴	嘴	嘴	嘴
	嘴	嘴	嘴	嘴	嘴	嘴	嘴	嘴	嘴	嘴	嘴	嘴	嘴	嘴

看	一	二	三	手	矛	看	看	看	看				
	看	看	看	看	看	看	看	看	看	看	看	看	看	看
舌	一	二	千	舌	舌								
	舌	舌	舌	舌	舌	舌	舌	舌	舌	舌	舌	舌	舌	舌
把	一	十	扌	扣	扣	扣	把						
	把	把	把	把	把	把	把	把	把	把	把	把	把	把
衣	丶	二	广	古	市	衣							
	衣	衣	衣	衣	衣	衣	衣	衣	衣	衣	衣	衣	衣	衣
解	丿	夕	广	夕	角	角	角	角	角	解	解	解	解
	解	解	解	解	解	解	解	解	解	解	解	解	解	解
心	丶	心	心	心									
	心	心	心	心	心	心	心	心	心	心	心	心	心	心
肺	丿	几	月	月	月	肝	肝	肺					
	肺	肺	肺	肺	肺	肺	肺	肺	肺	肺	肺	肺	肺	肺
大	一	十	大										
	大	大	大	大	大	大	大	大	大	大	大	大	大	大
夫	一	二	丰	夫									
	夫	夫	夫	夫	夫	夫	夫	夫	夫	夫	夫	夫	夫	夫
得	丿	夕	彳	彳	彳	彳	得	得	得	得			
	得	得	得	得	得	得	得	得	得	得	得	得	得	得

病	丶	亠	广	广	疒	疒	疒	病	病	病			
	病	病	病	病	病	病	病	病	病	病	病	病	病
感	一	厂	厂	尸	后	咸	咸	咸	咸	感	感	感	
	感	感	感	感	感	感	感	感	感	感	感	感	感
冒	丶	冂	冂	曰	曱	冃	冐	冒	冒				
	冒	冒	冒	冒	冒	冒	冒	冒	冒	冒	冒	冒	冒
吃	丨	口	口	叱	吃	吃							
	吃	吃	吃	吃	吃	吃	吃	吃	吃	吃	吃	吃	吃
药	一	十	艹	艹	艻	芗	药	药	药				
	药	药	药	药	药	药	药	药	药	药	药	药	药
就	丶	亠	六	亠	亯	亨	京	京	赴	就	就		
	就	就	就	就	就	就	就	就	就	就	就	就	就

3. Listen to the Conversation. 🎧

4. Listen to the Vocabulary. 🎧

5. Listen to the vocabulary in Word Bank. 🎧

6. Circle the number of the word you hear. 🎧

(1) mouth	(2) leg	(3) arm	(4) tooth
(5) head	(6) heart	(7) throat	(8) face
(9) finger	(10) ear	(11) hair	(12) stomach
(13) tongue	(14) liver	(15) nose	(16) foot
(17) hand	(18) lung		

7. Fill in the blank with correct answer.

(1) Wǒ tóu _____.   a. bǎ

(2) Qǐng zhāngkāi _____.   b. yào

(3) Qǐng nǐ _____shàngyī jiěkai.   c. gǎnmào

(4) Wǒ kànkan nǐ de _____.   d. téng

(5) Wǒ tīngting nǐ de _____.   e. zuǐ

(6) Nǐ _____le.   f. fèi

(7) Chī diǎnr _____jiù hǎo le.   g. sǎngzi

8. Fill in the blanks with appropriate Chinese characters.

(1) shétou

tongue

(2) bízi

nose

(3) tóu

head

(4) téng

pain

(5) kàn

see

(6) sǎngzi

throat

(7) zhāng

open

(8) bíti

nasal mucus

(9) jiě

unzip

(10) gǎnmào

catch a cold

(11) bìng

sick

(12) tīng

listen

(13) fèi

□

lungs

(14) chī

□

to eat

(15) dàifu

□□

doctor

(16) xīn

□

heart

(17) yào

□

medicine

(18) shàngyī

□□

jacket

你饿了吗？　Are you hungry?
Nǐ è le ma?

会话　Conversation

A：你饿了吗？

Nǐ è le ma?

Are you hungry?

B：我饿死了。

Wǒ èsǐ le.

I am starving.

A：我们去找一家餐厅，好吗？

Wǒmen qù zhǎo yì jiā cāntīng, hǎo ma?

Let's go find a restaurant, OK?

B：好啊。

Hǎo a.

OK!

C：我们有鱼、虾、鸡、牛排

Wǒmen yǒu yú, xiā, jī, niúpái

和烤鸭，您想 吃点儿什么？

hé kǎoyā, nín xiǎng chī diǎnr shénme?

We have fish, shrimp, chicken, beefsteak and roast duck, what would you like to have?

B：来一盘鱼，一盘牛排和米饭。

    Lái yì pán yú, yì pán niúpái hé mǐfàn.

A fish, a beefsteak and rice, please.

C：您喝橘子水还是喝可口可乐？

    Nín hē júzishuǐ háishi hē kěkǒukělè?

What would you like to drink, orange juice or Coca Cola?

A：不，我要一杯冰水。

    Bù, wǒ yào yì bēi bīng shuǐ.

No, I want a glass of ice water.

生词　Vocabulary

1.	饿 è	hungry
2.	死 sǐ	to die
3.	餐厅 cāntīng	restaurant
4.	鱼 yú	fish
5.	虾 xiā	shrimp
6.	鸡 jī	chicken
7.	牛排 niúpái	beefsteak

8. 烤鸭 kǎoyā	roast duck
9. 盘 pán	plate
10. 米饭 mǐfàn	rice
11. 喝 hē	to drink
12. 橘子水 júzishuǐ	orange juice
13. 还是 háishi	or
14. 可口可乐 kěkǒukělè	Coca Cola
15. 要 yào	want, would like
16. 杯 bēi	glass
17. 冰 bīng	ice
18. 水 shuǐ	water

课堂活动　Activity

Role-play (using the expressions you learn from the lesson).

Nǐ è ma?

Qù nǎr chī?

大同中餐馆

Nín diǎn shénme?

Hē shénme?

语法　Grammar

● Wǒ èsǐ le.

"Sǐ" is often put after a verb or an adjective as a complement to show "to reach the highest degree". When "sǐ" is used so, the speaker is exaggerating, e.g., "Wǒ lèisǐ le.(I am so tired.)", "Wǒmen gāoxìng sǐ le. (We are so happy.)".

●● Wǒmen qù zhǎo yì jiā cān tīng.

The verb "qù" or "lái" can be preceded by another verb to show the direction of an action, e.g., "Tāngmǔ jìnlái le. (Tom came in.)". If a verb takes an object of locality, the directional complement should be placed after the object, i.e., [v. ＋ locative word ＋ qù ／ lái]. Otherwise "qù" or "lái" may be either preceded or followed by the object, i.e., [v. ＋ object ＋ qù ／ lái], or [v. + qù ／ lái + object], e.g., "Wǒ mǎiláile yì bēi júzishuǐ. (I bought a glass of orange juice)".

●●● ……, hǎo ma?

When placed at the end of a sentence, "hǎo ma" is used to solicit the opinion from the person spoken to, with the idea of talking things over and making a request. It is a very moderate and tactful way of making a statement. e.g., "Qǐng nǐ děng yíxiàr, hǎo ma? (Please wait for a little while, OK?)", "Wǒmen míngtiān xuéxí Hànyǔ, hǎo ma? (We will study Chinese tomorrow, OK?)".

●●●● Nín hē júzishuǐ háishi hē kěkǒukělè?

An alternative question is one containing two possibilities linked by "háishi". One of them may be chosen for a reply, e.g., "Nǐ shì Zhōngguórén háishi Rìběnrén? (Are you a Chinese or Japanese?) ", "Jīntiān shì xīngqīsān háishi xīngqīsì? (Is today Wednesday or Thursday?)".

扩展　Extension

Word Bank 🎧

1. 中餐　　　　Chinese food
   zhōngcān

2. 西餐　　　　Western food
   xīcān

3. 面包　　　　bread
   miànbāo

4. 黄油 huángyóu	butter	
5. 茶 chá	tea	
6. 咖啡 kāfēi	coffee	
7. 牛奶 niúnǎi	milk	
8. 面条 miàntiáo	noodles	
9. 冰淇淋 bīngqílín	ice cream	
10. 汉堡包 hànbǎobāo	hamburger	
11. 筷子 kuàizi	chopsticks	
12. 刀子 dāozi	knife	
13. 叉子 chāzi	fork	
14. 麦当劳 Màidāngláo	McDonald's	
15. 自助餐 zìzhùcān	buffet	

练习 Exercises

1. Ask and answer (referring to the pictures).

(1) Nǐ xiǎng chī diǎnr shénme?

_____.

(2) Nǐ hē _____ háishi hē _____?

_____.

2. Trace over the red characters with black using the correct stroke order.

饿	丿	𠂉	饣	饣	饣	饴	饳	饿	饿	饿			
	饿	饿	饿	饿	饿	饿	饿	饿	饿	饿	饿	饿	饿	饿
死	一	厂	歹	歹	歼	死								
	死	死	死	死	死	死	死	死	死	死	死	死	死	死
饭	丿	𠂉	饣	饣	饭	饭	饭							
	饭	饭	饭	饭	饭	饭	饭	饭	饭	饭	饭	饭	饭	饭
店	丶	亠	广	广	庐	店	店							
	店	店	店	店	店	店	店	店	店	店	店	店	店	店
虾	丶	口	口	中	虫	虫	虫	虾	虾					
	虾	虾	虾	虾	虾	虾	虾	虾	虾	虾	虾	虾	虾	虾
鸡	乛	又	叉	𠄌	𢇲	鸡	鸡							
	鸡	鸡	鸡	鸡	鸡	鸡	鸡	鸡	鸡	鸡	鸡	鸡	鸡	鸡
牛	丿	𠂉	二	牛										
	牛	牛	牛	牛	牛	牛	牛	牛	牛	牛	牛	牛	牛	牛
排	一	𠄌	扌	扝	扞	扯	扗	拂	排	排				
	排	排	排	排	排	排	排	排	排	排	排	排	排	排
烤	丶	丷	火	火	灯	灶	灶	烤	烤	烤				
	烤	烤	烤	烤	烤	烤	烤	烤	烤	烤	烤	烤	烤	烤
鸭	丨	口	日	日	甲	甲	明	鸭	鸭	鸭				
	鸭	鸭	鸭	鸭	鸭	鸭	鸭	鸭	鸭	鸭	鸭	鸭	鸭	鸭

盘	′	′	几	凡	舟	舟	舟	舟	盘	盘	盘		
	盘	盘	盘	盘	盘	盘	盘	盘	盘	盘	盘	盘	盘
米	丶	丶	丷	业	半	米	米						
	米	米	米	米	米	米	米	米	米	米	米	米	米
喝	丨	丬	口	叮	吖	吲	吲	吲	喝	喝	喝	喝	
	喝	喝	喝	喝	喝	喝	喝	喝	喝	喝	喝	喝	喝
橘	一	十	才	木	杧	杧	杧	杧	桥	桥	橘	橘	橘
	桔	桔	桔	桔	桔	桔	桔	桔	桔	桔	桔	桔	桔
水	丿	才	水	水									
	水	水	水	水	水	水	水	水	水	水	水	水	水
还	一	丆	不	不	坏	还	还						
	还	还	还	还	还	还	还	还	还	还	还	还	还
可	一	丆	丆	可	可								
	可	可	可	可	可	可	可	可	可	可	可	可	可
口	丨	口	口										
	口	口	口	口	口	口	口	口	口	口	口	口	口
乐	一	二	壬	乐	乐								
	乐	乐	乐	乐	乐	乐	乐	乐	乐	乐	乐	乐	乐
要	一	丆	冂	西	西	西	要	要	要				
	要	要	要	要	要	要	要	要	要	要	要	要	要

杯	一	十	才	木	术	杧	柸	杯						
杯	杯	杯	杯	杯	杯	杯	杯	杯	杯	杯	杯	杯	杯
冰	丶	冫	刂	汋	冰	冰								
冰	冰	冰	冰	冰	冰	冰	冰	冰	冰	冰	冰	冰	冰

3. Listen to the Conversation. 🎧

4. Listen to the Vocabulary. 🎧

5. Listen to the vocabulary in Word Bank. 🎧

6. Listen and choose the food or drink. 🎧

(1) _____　　　　(2) _____

a. yú　　　　　　a. kǎoyā

b. xiā　　　　　 b. mǐfàn

c. jǐ　　　　　　 c. niúpái

(3) _____　　　　(4) _____

a. júzishuǐ　　　 a. píjiǔ

b. bīng shuǐ　　 b. bīngshuǐ

c. shuǐ　　　　　c. niúnǎi

7. Cross out the word that doesn't belong with the other two.

(1) yú　　　　　 jǐ　　　　　　zuǐ

(2) xīn　　　　　bízi　　　　　huángsè

(3) téng　　　　chī　　　　　hē

(4) báisè　　　　mǐfàn　　　　lǜsè

(5) júzishuǐ　　　rè　　　　　　lěng

(6) chūntiān　　 dōngtiān　　　fàndiàn

8. Write the corresponding Chinese characters.

(1) shrimp _____

(2) orange juice _____

(3) hungry _____

(4) restaurant _____

(5) cup _____

(6) ice water _____

(7) beefsteak _____

(8) fish _____

(9) drink _____

(10) rice _____

您 要买点儿什么?　 **What do you want to buy?**
Nín yào mǎi diǎnr shénme?

会话　Conversation

A : 您 要 买点儿什么?　 What do you want to buy?
Nín yào mǎi diǎnr shénme?

B : 苹果 多少钱一斤?　 How much is one *jin* of apples?
Píngguǒ duōshao qián yì jīn?

A : 两块五一斤。　 Two yuan and fifty *fen* each *jin*.
Liǎng kuài wǔ yì jīn.

B : 我买 三斤苹果。　 I'll take three *jin*, please.
Wǒ mǎi sān jīn píngguǒ.

A : 还要别的吗?　 Anything else?
Hái yào biéde ma?

B : 再来四斤葡萄。　 And four *jin* of grapes, please.
Zài lái sì jīn pútao.

A : 葡萄九毛八分钱一斤,　 Grapes are ninety eight *fen* a *jin*.
Pútao jiǔ máo bā fēn qián yì jīn.　 Eleven yuan and forty-two

一共十一块四毛二。　 *fen* altogether.
Yígòng shíyī kuài sì máo èr.

B：给你十五块。 Here is fifteen yuan.

Gěi nǐ shíwǔ kuài.

A：找您三 块 五 毛 八。 I'll give you three yuan and fifty-eight

Zhǎo nín sān kuài wǔ máo bā. *fen* change.

生词 Vocabulary

1. 买
   mǎi
   to buy

2. 苹果
   píngguǒ
   apple

3. 钱
   qián
   money

4. 斤
   jìn
   jin (unit of weight, equal to 0.5 kilogram)

5. 块 (元)
   kuài (yuán)
   yuan (unit of Chinese currency)

6. 还
   hái
   else

7. 别的
   biéde
   other

8. 葡萄
   pútao
   grape

9. 毛 (角)
   máo (jiǎo)
   jiao (unit of Chinese currency)

10. 分   *fen* (unit of Chinese currency)
    fēn

11. 一共   altogether
    yígòng

12. 找   give change
    zhǎo

课堂活动　Activity

Role-play (using the expressions you learn from the lesson).

A: _____ ?   pínɡguǒ

B: _____ 。

A: _____ ?   xiānɡjiāo

B: _____ 。

语法 Grammar

● How to Count the Chinese Currency

The units of Chinese currency are "yuán", "jiǎo", "fēn", or in spoken Chinese "kuài", "máo", "fēn". 1 yuán (kuài) = 10 jiǎo (máo), 1 jiǎo = 10 fēn. The last figure often ends with an additional word "qián", e.g., "5 yuán → wǔ yuán (qián) or wǔ kuài (qián)", "0.8 yuán → bā jiǎo (qián) or bā máo (qián)". For "máo" or "fēn", when appearing at the end of a figure, is usually left out in spoken Chinese. E.g., "16.49 yuán → shíliù kuài sì máo jiǔ", "0.75 yuán → qī máo wǔ".

扩展 Extension

Word Bank 🎧

1. 水果 shuǐguǒ	fruit	
2. 桃 táo	peach	
3. 梨 lí	pear	
4. 香蕉 xiāngjiāo	banana	
5. 草莓 cǎoméi	strawberry	
6. 菠萝 bōluó	pineapple	
7. 柠檬 níngméng	lemon	
8. 李子 lǐzi	plum	

9. 樱桃 cherry
yīngtáo

10. 西瓜 watermelon
xīguā

练习 Exercises

1. Trace over the red characters with black using the correct stroke order.

买	乛 乛 ⺀ 三 ⺈ 买													
	买	买	买	买	买	买	买	买	买	买	买	买	买	买
苹	一 十 艹 艹 艹 艹 苎 苹													
	苹	苹	苹	苹	苹	苹	苹	苹	苹	苹	苹	苹	苹	苹
果	丨 冂 冂 日 旦 甲 果 果													
	果	果	果	果	果	果	果	果	果	果	果	果	果	果
钱	丿 𠂉 𠂉 乍 钅 钅 钅 钱 钱 钱													
	钱	钱	钱	钱	钱	钱	钱	钱	钱	钱	钱	钱	钱	钱
斤	丿 厂 斤 斤													
	斤	斤	斤	斤	斤	斤	斤	斤	斤	斤	斤	斤	斤	斤
块	一 十 土 圠 圢 坱 块													
	块	块	块	块	块	块	块	块	块	块	块	块	块	块
别	丨 冂 口 号 另 别 别													
	别	别	别	别	别	别	别	别	别	别	别	别	别	别

葡	一	十	世	世	药	芍	芍	苚	苚	莆	葡	葡		
	葡	葡	葡	葡	葡	葡	葡	葡	葡	葡	葡	葡	葡	葡
萄	一	十	世	世	药	芍	芍	苟	萄	萄				
	萄	萄	萄	萄	萄	萄	萄	萄	萄	萄	萄	萄	萄	萄
毛	一	二	三	毛										
	毛	毛	毛	毛	毛	毛	毛	毛	毛	毛	毛	毛	毛	毛
共	一	十	廿	世	共	共								
	共	共	共	共	共	共	共	共	共	共	共	共	共	共

2. Listen to the Conversation.

3. Listen to the Vocabulary.

4. Listen to the vocabulary in Word Bank.

5. Listen and choose the right price.

(1) _____   (2) _____

a. 5.4 yuan   a. 0.69 yuan

b. 3.4 yuan   b. 0.82 yuan

c. 3.7 yuan   c. 0.73 yuan

(3) _____   (4) _____

a. 7.6 yuan   a. 10.2 yuan

b. 12.6 yuan   b. 9.7 yuan

c. 1.8 yuan   c. 14.6 yuan

6. Listen and choose the fruit.

(1) _____   (2) _____   (3) _____   (4) _____

(5) _____   (6) _____   (7) _____   (8) _____

a. xiāngjiāo   b. píngguǒ   c. cǎoméi   d. pútao

f. bōluó   g. táo   h. lí   i. júzi

7. Match.

                    xīguā   梨

                    bōluó   苹果

                    táo   草莓

                    júzi   西瓜

                    píngguǒ   菠萝

                    pútao   樱桃

                    cǎoméi   桃

                    xiāngjiāo   橘子

                    lí   葡萄

                    yīngtao   香蕉

去 东南　高中 怎么走?

Qù Dōngnán Gāozhōng zěnme zǒu?

How can I get to Southeast High School?

会话　Conversation

A：请问，去东南　高中 怎么走?

Qǐngwèn, qù Dōngnán Gāozhōng zěnme zǒu?

May I ask you how to get to Southeast High School?

B：一直往前走，到 红绿灯

Yìzhí wǎng qián zǒu, dào hónglǜdēng

那儿往右拐。

nàr wǎng yòu guǎi.

Go straight ahead, and then turn right at the traffic lights.

A：在马路东边还是西边?

Zài mǎlù dōngbian háishi xībian?

Is it on the east side or the west side of the street?

B：在马路西边。

Zài mǎlù xībian.

It's on the west side of the street.

A：离这儿远不远?

Lí zhèr yuǎn bu yuǎn?

Is it far from here?

B：不太远，走五分钟就到了。

Bú tài yuǎn, zǒu wǔ fēnzhōng jiù dào le.

Not very far, it's only five minutes walk.

A ：顺便问一下，附近有

Shùnbiàn wèn yíxià,　fùjìn yǒu

银行和邮局吗?

yínháng hé yóujú ma?

By the way, is there a bank
and a post office nearby?

B ：对不起，我不知道。

Duìbuqǐ,　wǒ bù zhīdào.

你再去问问别人吧。

Nǐ zài qù wènwen biéren ba.

Sorry, I don't know.

Please ask somebody else.

生词　Vocabulary

1. 东南 dōngnán	southeast	
2. 高中 gāozhōng	high school	
3. 走 zǒu	to walk	
4. 一直 yìzhí	straight	
5. 往 wǎng	toward	
6. 前 qián	ahead	
7. 红绿灯 hónglǜdēng	traffic lights	

8. 那儿 nàr		there
9. 右 yòu		right
10. 拐 guǎi		to turn
11. 马路 mǎlù		street, road
12. 东边 dōngbian		east
13. 西边 xībian		west
14. 离 lí		from
15. 这儿 zhèr		here
16. 远 yuǎn		far
17. 顺便 shùnbiàn		by the way
18. 问 wèn		to ask
19. 附近 fùjìn		nearby
20. 银行 yínháng		bank
21. 邮局 yóujú		post office

22. 别人   others, other people
biéren

课堂活动   Activity

Role-play (using the expressions you learn from the lesson).

Dōngnán Gāozhōng

Měiguó Yínháng

túshūguǎn

Zhōngguó Fàndiàn

语法   Grammar

● Yìzhí wǎng qián zǒu.

Preceding a verb, the ［wǎng + n.］ denotes the direction of an action, e.g., "Qìchē wǎng dōng qù le. (The car has gone east.)", "Wǒmen wǎng yòu guǎi. (We will turn right.)".

●● Lí zhèr yuǎn bu yuǎn?

"Lí" means "away from". It may be used to refer to a time or place. E.g., "Měiguó lí Zhōngguó hěn yuǎn. (America is far away from China.)", "Xiànzài lí shàng kè hái yǒu shí fēn zhōng. (It's ten minutes till class.)".

●●● Zǒu wǔ fēnzhōng jiù dào le.

A time-measure word group such as "yì nián", "shí fēnzhōng" may be used after a verb as a complement, indicating the duration of an action or a state. The object can go before the subject, or between the verb and its repeated form. Sometimes the time word may appear before the object, e.g., "Wǒ zài Běijīng zhùle liǎng nián. (I have lived in Beijing for two years.)", "Tā xuéle liù ge yuè Hànyǔ. (He has learned Chinese for six months)".

扩展　Extension

Word Bank 🎧

1. 方向 fāngxiàng	direction	
2. 东 (东边) dōng (dōngbian)	east	
3. 西 (西边) xī (xībian)	west	
4. 南 (南边) nán (nánbian)	south	
5. 北 (北边) běi (běibian)	north	
6. 东南 dōngnán	southeast	

7. 西南 xīnán	southwest	
8. 东北 dōngběi	northeast	
9. 西北 xīběi	northwest	
10. 左（左边） zuǒ (zuǒbian)	left	
11. 右（右边） yòu (yòubian)	right	
12. 前（前边） qián (qiánbian)	front	
13. 后（后边） hòu (hòubian)	back	
14. 小学 xiǎoxué	primary school	
15. 中学 zhōngxué	high school	
16. 初中 chūzhōng	junior high school	
17. 大学 dàxué	university	

1. Trace over the red characters with black using the correct stroke order.

东	一	七	左	夯	东									
	东	东	东	东	东	东	东	东	东	东	东	东	东	东
南	一	十	十	冇	冇	肉	南	南	南					
	南	南	南	南	南	南	南	南	南	南	南	南	南	南
高	丶	亠	六	亠	言	户	高	高	高	高				
	高	高	高	高	高	高	高	高	高	高	高	高	高	高
走	一	十	土	キ	丰	走	走							
	走	走	走	走	走	走	走	走	走	走	走	走	走	走
直	一	十	广	市	市	百	直	直						
	直	直	直	直	直	直	直	直	直	直	直	直	直	直
往	丶	彡	彳	彳	彳	行	往	往						
	往	往	往	往	往	往	往	往	往	往	往	往	往	往
前	丶	丷	兰	广	方	前	前	前	前					
	前	前	前	前	前	前	前	前	前	前	前	前	前	前
灯	丶	丷	少	火	灯	灯								
	灯	灯	灯	灯	灯	灯	灯	灯	灯	灯	灯	灯	灯	灯
右	一	广	才	右	右									
	右	右	右	右	右	右	右	右	右	右	右	右	右	右
拐	一	寸	扌	扌	护	护	拐	拐						
	拐	拐	拐	拐	拐	拐	拐	拐	拐	拐	拐	拐	拐	拐

马	フ	马	马											
	马	马	马	马	马	马	马	马	马	马	马	马	马	马
边	フ	力	力	边	边									
	边	边	边	边	边	边	边	边	边	边	边	边	边	边
西	一	厂	冂	丙	西	西								
	西	西	西	西	西	西	西	西	西	西	西	西	西	西
离	丶	亠	六	文	离	卤	卨	离	离	离				
	离	离	离	离	离	离	离	离	离	离	离	离	离	离
远	一	二	亍	元	远	远	远							
	远	远	远	远	远	远	远	远	远	远	远	远	远	远
顺	ノ	川	川	川	川	顺	顺	顺						
	顺	顺	顺	顺	顺	顺	顺	顺	顺	顺	顺	顺	顺	顺
便	ノ	亻	亻	仁	佢	佢	便	便	便					
	便	便	便	便	便	便	便	便	便	便	便	便	便	便
附	⻖	阝	阝	阝	阼	附	附							
	附	附	附	附	附	附	附	附	附	附	附	附	附	附
近	一	厂	斥	斥	近	近	近							
	近	近	近	近	近	近	近	近	近	近	近	近	近	近
银	ノ	𠂉	钅	钅	钅	钊	钊	钊	钚	银	银			
	银	银	银	银	银	银	银	银	银	银	银	银	银	银

行	㇒	㇜	彳	彳	行	行							
	行	行	行	行	行	行	行	行	行	行	行	行	行
邮	丶	冂	日	由	由	由ß	邮						
	邮	邮	邮	邮	邮	邮	邮	邮	邮	邮	邮	邮	邮
局	㇆	㇕	尸	尸	吊	局	局						
	局	局	局	局	局	局	局	局	局	局	局	局	局

2. Listen to the Conversation.

3. Listen to the Vocabulary.

4. Listen to the vocabulary in Word Bank.

5. Listen and read the following conversation.

A：请问，去银行怎么走?

B：往前走，到红绿灯那儿往左拐。

A：离这儿远不远?

B：不太远。

A：银行在马路南边还是在马路北边?

B：在马路南边。

A：银行附近有一个高中吗?

B：对不起，我不知道。

A：谢谢。

B：不客气。

6. Write the directions in Chinese.

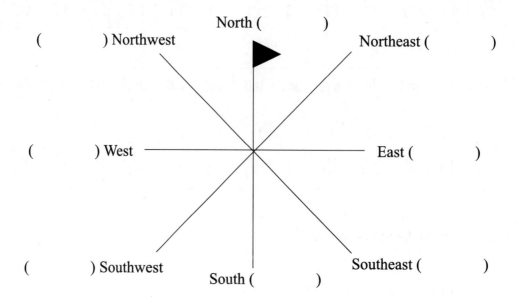

(   ) Northwest   North (   )   Northeast (   )

(   ) West   East (   )

(   ) Southwest   South (   )   Southeast (   )

词 汇 索 引
Vocabulary Index

越来越	yuèláiyuè	14

Z

在	zài	9
再	zài	7
再见	zàijiàn	1
怎么	zěnme	17
怎么样	zěnmeyàng	13
张	zhāng	17
找	zhǎo	16
这	zhè	5
这儿	zhèr	20
这里	zhèli	14
真	zhēn	13

知道	zhīdào	4
种	zhǒng	15
住	zhù	9
走	zǒu	20
嘴	zuǐ	17
最	zuì	14

Proper Names

吉米	Jímǐ	2
林肯	Línkěn	9
美国	Měiguó	4
汤姆·克林顿	Tāngmǔ kèlíndùn	3
王大明	Wáng Dàmíng	3
张平	Zhāng Píng	10
中国	Zhōngguó	4

练习答案
Key to the Exercises

Lesson 1

3. Listen and add the tone marks.

(1) ná   (2) tè   (3) dú   dù

(4) lú   lù   (5) mǐ   mì   (6) pó   pǒ

7. Write the Chinese characters.

(1) 好   (2) 再   (3) 你   (4) 吗

(5) 很   (6) 我   (7) 见

Lesson 2

3. Listen and fill in the missing letters.

(1) gāi   kāi   (2) gāo   hāo

(3) jiā   qiā   (4) jiē   xiē

(5) liū   niū   (6) cī   zī

(7) fēi   mēi   (8) diāo   xiāo

(9) guī   kuī   (10) guō   kuō

4. Listen and add the tone marks.

(1) zī   zǐ   (2) xí   xì

(3) gě   gè   (4) cī   cì

(5) huí   huǐ   (6) sāo   sào

(7) qiáo   qiǎo   (8) wài   wāi

(9) kuǎ   kuā   (10) yuē   yuè

Lesson 3

1. Listen and add the tone marks.

(1) zhī   zhí   (2) rǐ   rì

(3) chí   chǐ   (4) shí   shì

(5) chē   chè   (6) shǎn   shān

Lesson 4

2. Listen and fill in the missing letters.

(1) Měiguó   (2) Zhōngguó

(3) míngzi   (4) lǎoshī

(5) péngyou   (6) zàijiàn

(7) xuésheng   (8) xièxie

(9) duìbuqǐ   (10) shénme

(11) guìxìng   (12) zhīdào

3. Listen and add the tone marks.

(1) rén   (2) guó   (3) duì

(4) qǐ   (5) méi   (6) guān

(7) dào   (8) nǎ   (9) zhī

(10) bù

Lesson 5

3. Listen and add the tone marks.

(1) dìtú   (2) shū

(3) qǐngwèn   (4) Zhōngguó

(5) zhīdào   (6) duìbuqǐ

(7) guìxìng   (8) shénme

(9) míngzi   (10) lǎoshī

(11) Měiguó   (12) péngyou

4. Listen and fill in the missing letters.

(1) x　(2) r　(3) q　(4) sh　(5) d　(6) j

Lesson 6

1. Listen and fill in the missing letters.

(1) jīnnían　　　(2) níanjí

(3) qǐngwèn　　(4) zhīdào

(5) dìtú　　　　(6) Měiguó

(7) guìxìng　　(8) xuésheng

(9) míngzi　　　(10) Zhōngguó

2. Listen and add the tone marks.

(1) sān　(2) bā　(3) jiǔ　(4) yī

(5) liù　(6) shí　(7) líng　(8) èr

(9) sì　(10) wǔ　(11) qī　(12) jǐ

Lesson 7

2. Listen and fill in the missing letters.

(1) Yīngyǔ　　　(2) Hànyǔ

(3) qǐng　　　　(4) zài

(5) huì　　　　(6) dǒng

(7) yìdiǎnr　　(8) yíbiàn

3. Listen and complete the numbers.

(1) 469　　　　(2) 835

(3) 301　　　　(4) 1974

(5) 2068　　　(6) 3219

(7) 17002　　(8) 2643

(9) 7952　　　(10) 2809

Lesson 8

3. Listen and choose the right answer.

(1) b　(2) c　(3) a　(4) a　(5) c　(6) c

4. Listen and fill in the missing numbers.

(1) 四　(2) 十　(3) 十五

(4) 六　(5) 九　(6) 三

9. Match.

father	bàba
grandfather	yéye
wife	qīzi
older brother	gēge
husband	zhàngfu
younger sister	mèimei
older sister	jiějie
grandmother	nǎinai
younger brother	dìdi
son	érzi
maternal grandfather	wài zǔfù
daughter	nǚ'ér
maternal grandmother	wài zǔmǔ
mother	māma

Lesson 9

2. Listen and choose the right answer.

(1) c　(2) c　(3) b　(4) b

3. Listen and fill in the missing letters.

(1) gōngyù　　(2) guìxìng

(3) dìtú (4) qǐngwèn

(5) míngzi (6) shénme

(7) sùshè (8) péngyou

Lesson 10

3. Listen and choose the right word.

(1) j (2) m (3) a (4) n

(5) o (6) b (7) i (8) c

(9) g (10) e (11) k (12) l

(13) f (14) d (15) h

Lesson 11

1. Can you say in Chinese what times these clocks show?

(1) 六点四十五分

(2) 十一点五十五分

(3) 十一点四十九分

(4) 六点十一分

3. Listen and write the time.

(1) 上午五点五分

(2) 下午七点十八分

(3) 下午六点半

(4) 上午九点四十分

(5) 上午十一点二十分

(6) 下午两点十五分

(7) 上午八点二十九分

(8) 下午四点四十八分

(9) 上午十一点十三分

(10) 十二点半

4. Listen and choose the right answer.

(1) b (2) c (3) b

Lesson 12

3. Listen and fill in the months and dates.

(1) 三月四号 (2) 十月二十一号

(3) 八月十三号 (4) 二月六号

(5) 十一月三十号 (6) 七月一号

(7) 九月十五号 (8) 十二月三十一号

(9) 四月七号 (10) 五月十九号

4. Listen to the days of the week and write the English.

(1) Saturday (2) Monday

(3) Sunday (4) Tuesday

(5) Thursday (6) Friday

(7) Wednesday

8. Match.

Jan.	yīyuè	一月
Feb.	èryuè	二月
Mar.	sānyuè	三月
Apr.	sìyuè	四月
May	wǔyuè	五月
Jun.	liùyuè	六月
Jul.	qīyuè	七月
Aug.	bāyuè	八月
Sep.	jiǔyuè	九月
Oct.	shíyuè	十月
Nov.	shíyīyuè	十一月

Dec.　　shí'èryuè　　十二月

Lesson 13

5. Listen and choose the correct answer.

(1) b　(2) b　(3) c　(4) a

6. Fill in the blanks with appropriate Chinese characters.

(1) 热　(2) 冷　(3) 天气　(4) 明天

(5) 晴　(6) 刮风　(7) 下雨　(8) 预报

(9) 小　(10) 怎么样

Lesson 14

6. Listen and choose the right answer.

(1) a　(2) b　(3) c　(4) a

7. Write the corresponding Chinese characters.

(1) 春天　　　(2) 夏天

(3) 你好吗?　(4) 很热

(5) 最热　　　(6) 不客气。

(7) 不冷

(8) 一个哥哥和一个弟弟

(9) 暖和　　　(10) 很好

(11) 天气　　　(12) 最热

Lesson 15

6. What color do you hear?

(1) 红色　　　(2) 白色

(3) 绿色　　　(4) 粉红色

(5) 蓝色　　　(6) 咖啡色

(7) 黑色　　　(8) 黄色

(9) 紫色　　　(10) 金黄色

7. Fill in the blank with appropriate Chinese characters.

(1) 红　(2) 白　(3) 绿　(4) 黄

(5) 黑　(6) 蓝　(7) 色　(8) 颜

(9) 喜　(10) 欢　(11) 汽　(12) 车

(13) 最

Lesson 16

7. Listen and choose the correct answer.

(1) c　(2) a　(3) c　(4) b

Lesson 17

7. Fill in the blank with correct answer.

(1) d　(2) e　(3) a　(4) g　(5) f

(6) c　(7) b

8. Fill in the blank with appropriate Chinese characters.

(1) 舌头　(2) 鼻子　(3) 头　(4) 疼

(5) 看　(6) 嗓子　(7) 张　(8) 鼻涕

(9) 解　(10) 感冒　(11) 病　(12) 听

(13) 肺　(14) 吃　(15) 大夫　(16) 心

(17) 药　(18) 上衣

Lesson 18

6. Listen and choose the food or drink.

(1) c   (2) c   (3) a   (4) b

7. Cross out the word that doesn't belong with the other two.

(1) zuǐ   (2) huángsè

(3) téng   (4) mǐfàn

(5) júzishuǐ   (6) fàndiàn

8. Write the corresponding Chinese characters.

(1) 虾   (2) 橘子水   (3) 饿   (4) 餐厅

(5) 杯   (6) 冰水   (7) 牛排   (8) 鱼

(9) 喝   (10) 米饭

Lesson 19

5. Listen and choose the right price.

(1) b   (2) c   (3) c   (4) a

6. Listen and choose the fruit.

(1) a   (2) h   (3) f   (4) c   (5) b

(6) g   (7) i   (8) d

7. Match.

	xiāngjiāo	香蕉
	xīguā	西瓜
	pútao	葡萄
	píngguǒ	苹果

	lí	梨
	júzi	橘子
	cǎoméi	草莓
	yīngtao	樱桃
	bōluó	菠萝
	táo	桃

Lesson 20

6. Write the directions in Chinese.

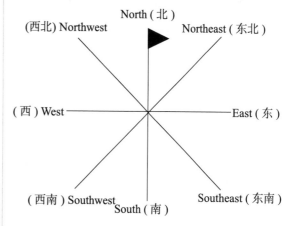

责任编辑：薛彧威
封面设计：王薇薇
插　　图：陆兴明
印刷监制：佟汉冬

图书在版编目（CIP）数据

汉语初阶：汉英对照 / 张亚军编著.－北京：华语教学出版社，2010.1
ISBN 978-7-80200-737-6

Ⅰ.①汉… Ⅱ.①张… Ⅲ.①汉语－对外汉语教学－自学参考资料 Ⅳ.① H195.4

中国版本图书馆 CIP 数据核字（2009）第 231542 号

汉语初阶

张亚军　编著

*

© 华语教学出版社

华语教学出版社出版

（中国北京百万庄大街24号　邮政编码　100037）

电话：(86)10-68320585

传真：(86)10-68326333

网址：www.sinolingua.com.cn

电子信箱：hyjx@sinolingua.com.cn

北京外文印刷厂印刷

2010年（16开）第一版

2010年第一次印刷

（汉英）

ISBN 978-7-80200-737-6

定价：66.00元